LE ROMAN QUÉBÉCOIS

Réjean Beaudoin

Le Roman québécois

Boréal

Maquette de couverture: Gianni Caccia
Illustration de la couverture: Marc Kokinski

© Les Éditions du Boréal
Dépôt légal: 4ᵉ trimestre 1991
Bibliothèque nationale du Québec

Distribution au Canada: Dimedia

Distribution en Europe: les Éditions du Seuil

Données de catalogage avant publication (Canada)

Beaudoin, Réjean, 1945-

Le roman québécois

(Boréal express; 3)

Comprend des références bibliographiques et un index.

ISBN 2-89052-412-4

1. Roman canadien-français - Québec (Province) - Histoire
et critique. I. Titre.

PS8199.5.Q8B42 1991   C843.009   C91-096759-8
PS9199.5.Q8B42 1991
PQ3912.B42 1991

Table

Introduction

Une constatation s'impose d'emblée à l'observateur de la scène littéraire contemporaine: le roman domine largement les autres genres. Cette prépondérance se vérifie non seulement au Québec, mais à la grandeur de l'Occident et jusque dans les pays dits occidentalisés, soit pratiquement dans le monde entier.

Cependant, il n'en a pas toujours été ainsi. Faut-il rappeler qu'une telle hégémonie est le résultat d'un coup d'État tardif dans la république des lettres? Jusqu'au XIXᵉ siècle, en effet, le roman était assez mal toléré dans la hiérarchie des genres littéraires, quand il n'en était pas exclu. Le XVIIIᵉ siècle a préparé la voie, notamment Diderot sous l'influence des romanciers anglais (Sterne et Richardson) renouvela la tradition romanesque de l'âge classique. Mais c'est seulement depuis Balzac que le roman peut se passer de justification et que sa légitimité n'est plus mise en cause. Au milieu du siècle dernier, Flaubert pose déjà, par l'exigence de son écriture, des questions qui interpelleront encore les «nouveaux romanciers» du milieu du XXᵉ siècle.

En un sens, le développement du roman québécois n'est donc qu'un cas particulier d'un phénomène beaucoup plus vaste. Mais, tandis que l'histoire du roman français montre que ce genre appartient au règne du divers, du déréglé, du multiple, au Québec, sous la dictée de l'idéologie nationaliste, le roman canadien-français s'est doté de lois très strictes à sa naissance et il leur est resté soumis jusqu'à la veille de la Révolution tranquille. Il s'est alors «libéré» bruyamment pour entrer dans la modernité, mais un bon demi-siècle après la crise générale qui, en France et ailleurs, avait renouvelé le genre et lui avait imprimé ses traits actuels (Proust, Joyce, Woolf, Kafka).

Comment ne pas tenir compte des chronologies déphasées qui rythment les durées respectives des littératures française et québécoise? En effet, l'histoire du roman universel intervient dans la formation beaucoup plus récente du roman québécois avec des décalages et des syncopes dont il importe d'évaluer les répercussions. Aussi, quand on revient à une échelle d'observation locale, il faut noter que le XIXᵉ siècle est celui des tout premiers balbutiements de la littérature canadienne-française[1], parmi laquelle émerge peu à peu le roman, alors que ce même XIXᵉ siècle voit s'épanouir la maturité et la consécration mondiale (principalement en France) du réalisme romanesque. En somme, l'essor et le développement du roman au Québec ne sont ni indépendants de la tradition européenne (surtout française) ni assimilables en tous points au profil général de cette tradition.

En revanche, on admet que le roman québécois possède malgré tout sa spécificité. Mais le lecteur qui voudrait saisir globalement le sens des pratiques très diverses qui existent actuellement sous l'appellation (peu contrôlée) du roman québécois doit s'attendre à affronter plusieurs difficultés. La première tient sans doute au nombre important de titres publiés. L'ampleur et la variété du champ qualitatif ne sont pas plus simples à baliser. Enfin, il n'est pas nécessaire de consulter longtemps les ouvrages d'histoire et de critique littéraires pour se rendre compte qu'aucune unité thématique ou générique ne parvient plus à rassembler la majorité des œuvres québécoises, comme on pouvait encore le faire pour un passé pas très éloigné.

En reprenant les éléments suivants, tirés de lieux communs fréquemment utilisés par la critique, on peut quand même obtenir une image aux contours grossièrement dessinés: le roman québécois offre aujourd'hui une extrême diversité de sujets et de procédés techniques, il ne tolère aucune limitation quant à l'espace et au temps fictifs, il n'hésite pas à emprunter au répertoire européen — affirmant du même souffle sa volonté d'exprimer la vie nord-américaine —, il lui arrive souvent de mettre le récit en question et de nier les frontières des genres, et il sait mélanger les styles dans une esthétique post-moderne, mais sans dédaigner pour autant la narration la plus classique...

Cette description empirique (qui pourrait encore s'étendre) ne résout pourtant pas notre embarras. Elle n'a d'autre utilité que de poser le problème qui sous-tend ce livre. Comment ordonner un tel foisonnement? Où tracer les lignes de démarcation? Comment discerner les signes susceptibles de fournir un cadre à l'interprétation et d'ouvrir des pistes à la lecture?

Choix des œuvres étudiées

Trois règles résument les décisions qui président à la rédaction de cet ouvrage:

a) Certains textes limitrophes (récits, contes, nouvelles) seront pris en considération en raison de la position unique qu'ils occupent dans le corpus romanesque. C'est le cas notamment d'ouvrages courts comme *La Scouine* d'Albert Laberge, *Le Torrent* d'Anne Hébert ou *Le Cassé* de Jacques Renaud.

b) En règle générale, il sera question ici des romans écrits en langue française au Québec, mais il est évident que la langue et la géographie ne ferment pas complètement l'espace littéraire québécois. Les textes français ou étrangers qui sont manifestement cités ou «textualisés» dans les romans que nous lisons font aussi partie de notre champ d'analyse. La décision d'exclure les romanciers québécois qui écrivent en anglais s'accorde avec la tradition; l'appartenance à cette tradition admet par ailleurs des écrivains canadiens francophones nés hors des frontières du Québec (Gabrielle Roy, Antonine Maillet, Jacques Savoie) et des écrivains français (Louis Hémon, Marie LeFranc, Régine Robin). Actuellement, on voit aussi des romanciers québécois de souche non francophone écrire et publier en français. Plusieurs d'entre eux sont d'origine italienne, mais l'éventail est diversifié: par exemple, Naïm Kattan (Irakien), Jacques Folch-Ribas (Catalan), Alice Parizeau (Polonaise), Negovan Rajic (Yougoslave). Cette diversité ne fait que refléter celle de la population québécoise elle-même.

c) Des facteurs paralittéraires (socioculturels, idéologiques, politiques, économiques) seront pris en considération dans la mesure où ils entrent en jeu soit dans les conditions de production, soit dans les mécanismes internes de l'écriture.

Est-il possible de faire le tour du roman québécois en une centaine de pages, en respectant ses traits fondamentaux et la liberté du genre, sans sacrifier à une schématisation réductrice? Certainement pas, si l'on prétend rendre compte de toute la production.

La démarche que nous avons choisie est tout autre: l'objectif est de proposer une description raisonnée d'un ensemble de textes représentatifs, constitué par de larges coupes effectuées dans la littérature romanesque qui s'écrit au Québec depuis un siècle et demi. Deux questions ont guidé le choix des œuvres à traiter: quels sont les romans québécois lus ou encore lisibles aujourd'hui, et quels sont ceux dont l'influence est repérable dans la littérature québécoise contemporaine? Ainsi, notre point de départ n'est autre que la situation actuelle, c'est-à-dire l'ensemble des œuvres, anciennes et récentes, qui forment *aujourd'hui* cet espace de lecture et d'écriture particulier qu'on appelle le roman québécois.

Les interprétations proposées dans cet ouvrage tiennent compte de la critique récente, même si, pour des raisons d'économie, nos sources ne sont pas toujours nommées, sauf lorsqu'un texte critique est cité textuellement.

NOTES

[1] Réjean Beaudoin, *Naissance d'une littérature. Essai sur le messianisme et les débuts de la littérature canadienne-française,* Montréal, Éditions du Boréal, 1989.

CHAPITRE 1

L'évolution du genre

Comment se présente aujourd'hui le roman québécois? L'influence des moyens de communication électroniques nous incite à réduire le présent à l'actualité, à faire du temps court, voire de l'immédiat, la *vraie* mesure des choses, à tel point que le journal du matin est depuis longtemps périmé à l'heure du *Téléjournal*. Cette accélération n'est pas sans effet sur la littérature, mais on ne saurait la transposer simplement sur le temps long pendant lequel se déroule la vie propre de la chose écrite. La «nouveauté», l'actualité d'une œuvre littéraire ne relèvent pas du même système que celui qui gouverne l'énoncé des manchettes dans le spectacle de l'information. La littérature vit aussi; elle vit surtout de la lecture, laquelle peut se renouveler indéfiniment et maintenir ou rappeler dans l'actualité des œuvres pourtant nées il y a longtemps, leur permettant ainsi de résister à l'érosion du temps.

Qu'est-ce alors que l'actuel? demandera-t-on. C'est le contemporain immédiat plus la somme de ce qui s'y conserve d'un certain passé, réactivé afin de l'ajuster aux impératifs d'un contexte toujours changeant. C'est dans une telle perspective que nous regarderons ici l'évolution du roman québécois au cours de ses quelque cent cinquante ans d'histoire. À partir du présent où nous sommes, trois grandes phases apparaissent, que nous intitulerons respectivement: le *roman contemporain* (1945-1990), le *roman du terroir* (1916-1945), le *degré zéro du roman* (1837-1916)

Comme tout découpage d'un processus traversé par des courants de fond qui assurent sa continuité malgré les changements qui le touchent, cette périodisation ne saurait nous épargner les difficultés que présente le fait de fixer des dates limitrophes qui risquent toujours de produire l'impression d'un cloisonnement étanche. Pour corriger cela, il faudra laisser jouer à l'intérieur de ces grandes périodes, et de l'une à l'autre, des éléments qui répugnent à la classification, mais qu'il faut pourtant situer, pour les comprendre, dans une conjoncture donnée. Pourquoi 1945 est-il le seuil de ce qui nous est encore contemporain dans le roman? Que s'est-il passé en 1916 pour que cette année marque le passage du XIXe au XXe siècle? De telles questions n'ont pas de réponses sûres et univoques. Leur solution appartient à la lecture et à l'interprétation, qui peuvent toujours changer.

La littérature est, dit-on, affaire de goût et d'appréciation, choses éminemment subjectives. Est-ce à dire que le quantifiable n'y joue aucun rôle? L'étude des éléments mesurables n'est certes pas à négliger, mais cette dimension restera elle aussi, jusqu'à un certain point, sujette à interprétation. Quoi qu'il en soit, voici quelques données instructives. Pendant la Deuxième Guerre mondiale (1939-1945), il se publie une moyenne de 27 romans chaque année au Québec. Entre 1947 et 1959, ce nombre descend à 19. De 1962 à 1965, la moyenne annuelle de romans publiés passe à 40. De 1966 à 1969, elle est de 57. De 1970 à 1973, elle grimpe à 74. Entre 1974 et 1977, elle atteint 83, puis 155 pour la période de 1978 à 1982[1]. Depuis quelques années, le nombre de romans publiés au Québec dépasse deux cents titres par année.

Pour la période allant du XIX⁰ siècle jusqu'en 1959, les chiffres disponibles concernant l'activité éditoriale dans le genre narratif confondent le récit, le conte, la nouvelle et le roman: avant 1818, rien; entre 1820 et 1839, six titres; de 1840 à 1859, seize; de 1860 à 1879, soixante-deux; de 1880 à 1899, soixante-quatre; de 1900 à 1919, quatre-vingt-onze; de 1920 à 1939, trois cent soixante-dix-neuf; de 1940 à 1959, quatre cent vingt-trois[2].

Il est intéressant de comparer ces statistiques avec notre division chronologique. Pour la période contemporaine (1982-1945), on obtient un total d'environ 2200 romans, soit une moyenne de 45 par année. Pour la période de 1916 à 1944, le total est de 523, ce qui donne en moyenne 17,5 par an. Enfin, de 1837 à 1915, il s'est publié 201 romans, c'est-à-dire 2,5 romans chaque année. Ces chiffres indiquent la vitalité du genre (et de la production littéraire globale) au cours de chaque période.

Le roman contemporain (1945-1990)

Le roman québécois contemporain comprend deux tendances majeures, l'une et l'autre très prospères, et que nous appellerons pour simplifier le roman populaire et le roman de recherche d'une nouvelle forme d'écriture. Par ailleurs, l'ensemble de la période contemporaine, qui s'étend presque au dernier demi-siècle, peut se diviser en deux sous-périodes: depuis 1960, et de 1960 à 1945. La modernisation de la littérature et de la société québécoises, en effet, connaît une accélération certaine à l'époque de la Révolution tranquille. Mais faire commencer cette modernisation en 1960 serait simplifier et trahir une évolution dont les signes avant-coureurs sont beaucoup plus anciens. D'un autre côté, ni la Deuxième Guerre mondiale ni la Révolution tranquille ne marquent une coupure absolue avec le passé. Autrement dit, si l'exposition du roman québécois aux courants littéraires modernes n'est pas un fait limité à l'actualité, de même certaines formes héritées de la tradition ont préservé leur permanence à travers les transformations, de sorte qu'elles aussi peuvent se dire actuelles.

Cela se voit notamment dans la floraison récente du roman populaire. Comme le note André Belleau:

> Alors que la pratique moderne du discours littéraire tend à questionner les formes, réfléchir sur le langage, jouer et déjouer les codes, (...) l'idéologie québécoise inciterait plutôt à favoriser la survie ou la reprise de formes désuètes: les néo-régionalismes, l'historicisme naïf, la glorification nationale[3].

«Il est donc possible, aujourd'hui, d'écrire et de faire publier au Québec un roman du dix-neuvième siècle?» se demande Gilles Marcotte; car remonter le cours d'une tradition jugée trop sommairement vers 1960 aboutit aujourd'hui au paradoxe suivant: «C'est le plus ancien qui est le plus actuel[4].» D'où la place occupée dans la littérature québécoise actuelle par le roman populaire, «où l'intrigue plaira à plusieurs (...) parce que son écriture est concise et transparente; (... populaire) également à cause de sa trame narrative où transpire un préjugé favorable pour les figurants de l'histoire d'un peuple ou d'une communauté[5] (...)». Parmi les nombreux aspects que peut prendre ce roman populaire, souvent promu au rang de bestseller, on note la forme dominante du roman-chronique qui raconte la vie d'une rue, d'un quartier, d'une génération, d'une famille, etc. Telle est la recette gagnante consacrée par les succès de Michel Tremblay (*Chroniques du Plateau Mont-Royal*), Yves Beauchemin (*Le Matou, Juliette Pomerleau*), Francine Noël (*Maryse, Myriam première*), Arlette Cousture (*Les Filles de Caleb*) ou Louis Caron (*Les Fils de la liberté*). On peut associer à la même veine les sagas à saveur familiale, sociale ou nationale (Yvette Naubert, Bertrand B. Leblanc, Noël Audet, même le Claude Jasmin de *La Petite Patrie*, les *Histoires de déserteurs* d'André Major ou *La Saga des Lagacé* d'André Vanasse), qui, bien qu'accueillies de diverses façons, n'en manifestent pas moins la vogue considérable de ce type de récits. Évidemment, tous ces romanciers rentrent difficilement dans une seule catégorie, si on veut faire attention aux différences d'ordre technique et thématique qu'implique une production aussi considérable. De cette manière, nous voulons souligner la visée totalisante de ces divers projets romanesques, laquelle constitue, à n'en pas douter, une caractéristique notable de l'orientation récente du roman québécois.

Pour se rendre compte de cette transformation, rappelons-nous une autre tendance majeure dont témoignent aussi les dernières décennies; ce courant a souvent été qualifié de moderne, mot qui véhicule bien des malentendus. Il s'agit de récits qui privilégient la recherche formelle au détriment de la lisibilité immédiate et qui partent souvent de la plume de poètes, de critiques ou de professeurs (Michel Beaulieu, Yvon Rivard, Fernand Ouellette, Pierre Nepveu) ou d'essayistes théoriciens (Joseph Bonenfant, André Brochu, Nicole Brossard, France Théoret).

Évitons du reste de pousser le contraste jusqu'à l'opposition: les deux phénomènes (roman populaire et écriture moderne) ne se distinguent pas toujours aisément. Beaucoup d'écrivains ont mis au point une formule verbale singulière qui altère la commodité des repères trop tranchants et amène à parler d'une famille intermédiaire, bien décrite par Laurent Mailhot:

> (...) il existe dans la littérature québécoise contemporaine une fiction qu'il faut situer quelque part entre l'oral et l'écrit, entre la tradition et la modernité, entre l'épopée et la critique. (Ces romans) mélangent le sang à l'encre, le vécu au représenté, le transmis au construit, ils se situent dans le prolongement du conte (chez un Carrier, un Ferron, un Thériault), à proximité du théâtre (monologues, chœurs, découpage). Alors que les romans de l'écriture affichent une intertextualité européenne, les romans de la parole sont plutôt (nord-)américains. Ceux-là sont volontiers intellectuels, abstraits, sché-

matiques, brillants, d'un formalisme étudié; ceux-ci, pragmatiques, se donnent jusque dans le mythe une apparence de *naturel*[6].

Entre romans de l'écriture et romans de la parole, la ligne de partage est aussi floue que les modalités de l'échange et du «métissage» sont complexes. La ville, lieu de malaxage socioculturel, devient ainsi à la fois un décor «réel» et une grille de lecture textuelle, le point de rencontre d'histoires ou d'acteurs mythiques. Le mélange de réalisme et de fantastique est un autre trait fréquent, du côté tant des récits populaires que des romans de l'écriture, de même que le goût du ludique et du parodique, qui s'expriment par la pluralité des discours et la nature dialogique de la communication littéraire. Pastiche, intertextualité, carnavalisation, double codage, postmodernité, tels sont les concepts théoriques qui balisent les pistes de lecture les plus fréquentées.

L'une des pratiques les plus importantes à cet égard est l'apparition, autour de 1970, d'une nouvelle écriture féminine. Des œuvres comme *L'Euguélionne* (1976) de Louky Bersianik, à la fois fable, roman et mythe, se transforment presque en événements à portée politique. L'importance du phénomène, déjà soulignée par plusieurs observateurs, est indéniable; l'écriture des femmes partage quand même plus d'un trait avec les caractéristiques du roman québécois contemporain. Ainsi, *La Vie en prose* (1980), de Yolande Villemaire, est certainement un livre qui annonce et résume les divers mécanismes mis en œuvre dans la forme de roman qui nous préoccupe. Son effet le plus remarqué est d'abolir la distinction entre le texte et le hors-texte, ce qui semble avoir fasciné certains lecteurs.

Parmi ces romans, beaucoup revendiquent l'expression d'une expérience nord-américaine. «Si l'américanité de la littérature québécoise n'est pas qu'un effet de mode, elle reste encore à définir», remarque Jonathan Weiss[7]. Il ne fait aucun doute que nous sommes en présence d'une tendance croissante. Les noms de Jacques Godbout, Jacques Poulin, Victor

Lévy-Beaulieu, Pierre Turgeon, François Hébert, Monique LaRue le démontrent aisément. Comment ne pas rattacher ce thème éminemment actuel au courant historique qui a longtemps fait de la France le premier pôle de référence littéraire? S'agirait-il au fond des deux versants opposés de la même quête d'identité?

Voilà, en gros, pour ce qui est de l'horizon immédiat. Tâchons de scruter le paysage un peu plus avant, mais sans lunette d'approche. Nul besoin d'instrument sophistiqué pour apercevoir, derrière tout ce que nous venons d'observer, l'ombre d'une présence: celle de la littérature canadienne-française. Est-il nécessaire de rappeler que la littérature québécoise s'appelait autrefois «canadienne-française»? L'horreur de ce nom composé se répandit avec la Révolution tranquille, qui s'employa à y lire la fracture historique (dans le trait d'union) et la perte d'identité (dans l'usurpation par les anglophones du titre de Canadien). On peut lire à ce sujet l'éclairant essai de Jean Bouthillette, *Le Canadien français et son double* (1972). La remise en question des éléments fondamentaux de la pensée canadienne-française remonte aux fameuses années 60, époque quasi légendaire qui a vu paraître des textes dont la signification est loin d'être épuisée sur notre ligne d'horizon actuelle. On n'a qu'à penser aux romanciers rassemblés autour de la revue *Parti pris* (1963-1967): André Major, Jacques Renaud, Claude Jasmin, Laurent Girouard, et aux révélations que sont, presque simultanément au milieu de la décennie, les œuvres de Jacques Godbout, Marie-Claire Blais, Hubert Aquin et Réjean Ducharme. En revanche, sans être inexplicable, l'indice de modernité étonne, spontanément attribué à toute la conjoncture (culturelle, sociale et politique) qui prévaut dans l'ambiance festive de la Révolution tranquille. Sans nier l'audacieuse innovation qui s'exprime à travers les œuvres de cette période, les quelque vingt-cinq ans écoulés depuis lors devraient aujourd'hui nous permettre d'y (re)découvrir des traits beaucoup plus anciens de la littérature canadienne-française: l'obsession identitaire, l'affirmation de la singularité linguistique (le joual), le refus du romanesque, l'impossibilité de raconter une histoire (souvent mise en relation avec le désir malheureux d'intégrer cette histoire à l'Histoire). Vue dans cette optique, la grande originalité des années 60 est d'avoir su opérer un renversement décisif en tirant la solution de ce qui constituait le problème: la négativité de l'être dominé s'exprime avec une violence jamais vue jusqu'alors. Paradoxalement, cette explosion de révolte, où le désespoir est souvent évident, est le commencement d'une nouvelle affirmation de la différence québécoise[8].

Forçons encore notre attention pour porter le regard contemporain aux extrêmes limites de sa portée visuelle. Nous devinons vaguement la courbe des années 50 et l'importance de la rupture que consomment alors les récits d'Anne Hébert, les romans d'André Langevin, de Gérard Bessette ou de Gabrielle Roy. Un peu plus loin, 1945 évoque évidemment la fin de la Deuxième Guerre mondiale, mais c'est aussi la date d'un événement proprement littéraire: le début véritable du roman urbain, la fin du régionalisme et des relents du terroir, fin qui est en elle-même un épanouissement inattendu, inespéré ou trop longtemps espéré. On ne sait plus très bien ce qui est le plus extraordinaire: l'émergence étonnante d'une nouvelle thématique, à la fois chez Gabrielle Roy (*Bonheur d'occasion*, 1945) et Roger Lemelin (*Au pied de la pente douce*, 1944), ou l'accomplissement de la tradition, chez une Germaine Guèvremont (*Le Survenant*, 1945). Cette nouvelle perspective, Gilles Marcotte la nommera bientôt, avec toute la prudence qui le caractérise, en parlant d'*Une littérature qui se fait* (1962). Des romanciers comme Jean Filiatreault, Jean Simard, Robert Giroux sont aussi passés par là.

Globalement, la définition de l'identité nationale et la diversification de la problématique traditionnelle héritée de la littérature canadienne-française forment les deux caractéristiques essentielles du roman québécois contemporain. Mélange de rupture et de continuité, d'ouverture croissante à la modernité, mais aussi de constance dans l'approfondissement de l'incontournable «question du Québec», le roman québécois contemporain convoque et conjugue, au lieu de les opposer, les termes de sa présence au monde. Entre les mœurs ancestrales et le défi du présent, entre l'«ici» et l'ailleurs, entre la parole mythique et les expériences formelles les plus avancées, toutes les combinaisons semblent possibles. Contre la tentation de tenir tout bonnement cet état de fait pour acquis, il faut se rappeler qu'il n'en a pas toujours été ainsi.

Le roman du terroir (1916-1945)

Au-delà de 1945, en effet, la vision commence à s'embrouiller. Nous pénétrons dans un monde qui n'a plus grand-chose à voir avec le nôtre. Entre les deux guerres mondiales, nous voici en terre canadienne-française. Cette province nous est connue à travers les pages grinçantes d'*Une saison dans la vie d'Emmanuel* (1965) ou la verve gouailleuse de *La Guerre, yes Sir* (1967). Mais quant aux œuvres que cette époque a elle-même suscitées, quelques-unes au moins gardent aujourd'hui tout leur prix. Savons-nous par exemple qu'*Un homme et son péché* (1933) ne fut pas que le prétexte des «belles histoires» de l'interminable téléroman de Claude-Henri Grignon, mais l'un des meilleurs romans de toute notre littérature jusqu'en 1937?

Les années qui précèdent la Deuxième Guerre mondiale voient émerger un certain nombre d'œuvres qui restent curieusement lisibles grâce à la maturité de leur écriture et à la puissance du traitement qu'elles font de la vieille thématique du destin national. Refaçonnée dans le contexte de la crise économique des années 30 et rebaptisée en littérature du nom de régionalisme, l'idéologie traditionnelle donne ses fruits les plus savoureux dans les pages de Claude-Henri Grignon, de Léo-Paul Desrosiers (*Nord-Sud*, 1931) et de Félix-Antoine Savard (*Menaud, maître-*

draveur, 1937). Georges Bugnet, Robert de Roque-brune, Lionel Groulx (*L'Appel de la race*, 1922) et Clément Marchand (*Courrier de villages*, 1942) appartiennent à la même veine.

Dans son ensemble, on peut dire que toute cette littérature vit sur la lancée d'un roman destiné à connaître une fortune extraordinaire et dont la date de publication peut servir de démarcation entre le XIXe et le XXe siècle. Dès sa parution en 1916, en effet, *Maria Chapdelaine*, œuvre posthume du Français Louis Hémon, devient le symbole des vertus traditionnelles d'un petit peuple «qui ne sait pas mourir». Ce roman cristallise l'horizon d'attente du XIXe siècle canadien-français et de son idéologie dominante d'une manière idéale, tandis que son succès international, au lendemain de la Première Guerre mondiale, véhicule pour la première fois, au-delà des frontières du Québec, l'image pittoresque de la longue résistance canadienne-française. L'histoire commerciale de ce livre mériterait en elle-même un examen détaillé. On se contentera de rappeler que l'édition montréalaise de 1916, première publication du roman en volume, même si elle suscita l'admiration de l'élite locale, n'aurait sans doute pas suffi à créer le «mythe de Maria Chapdelaine». C'est le succès phénoménal de l'édition lancée à Paris chez Grasset, en 1922, qui sera à l'origine de la carrière exceptionnelle du roman. Nicole Deschamps a bien étudié le cas dans un ouvrage rédigé en collaboration, *Le Mythe de Maria Chapdelaine*[9].

Le roman de la terre et de la forêt qui fleurit au cours des années 30, dans le sillage de *Maria Chapdelaine*, marque avec une certaine magnificence la fin d'une époque et la mort d'une idéologie. Mais pendant que la grande idée de la survivance du peuple canadien-français, religieux et paysan, trouve son aboutissement chez les auteurs mentionnés plus haut, d'autres écrivains cherchent une nouvelle voie.

Déjà *La Scouine* (1918), d'Albert Laberge entame discrètement l'unanimité bien-pensante qui régit la société et encadre la culture. Censuré et parcimonieusement distribué sous le manteau, ce petit récit naturaliste n'a pas inquiété les lecteurs au moment de sa parution. Redécouvert en 1960 par Gérard Bessette, il exercera alors une certaine influence, notamment sur les romanciers de *Parti pris,* à la veille de l'offensive de la littérature jouale. La critique de l'idéologie terrienne s'exprime aussi en 1938 dans *Trente Arpents,* de Ringuet, qui reprend la vieille thématique rurale, mais pour la pousser jusqu'à ses extrémités, où elle se révèle à la fois toute-puissante et source d'aliénation.

Pendant ce temps, d'autres signes de renouveau apparaissent. Lorsque Jean-Charles Harvey publie ses *Demi-Civilisés* (1934), lorsque Léo-Paul Desrosiers fait paraître chez Gallimard ses *Engagés du Grand Portage* (1937), lorsque Rex Desmarchais (*L'Initiatrice,* 1932) ou Robert Charbonneau (*Ils posséderont la terre,* 1941) tentent de dénouer psychologiquement les effets du vieux monde rural, un virage capital de la littérature québécoise s'amorce. Signalons l'importance à cet égard d'une revue comme *La Relève* (1934) et du mouvement catholique, d'où sortiront les romanciers de l'«aventure intérieure», comme Desrosiers et Charbonneau. Il n'est pas question de faire de ces textes les chefs-d'œuvre qu'ils ne sont pas, mais le fait est qu'on y trouve des audaces de dessein et des bonheurs d'expression qui inscrivent toujours ces auteurs «oubliés» à l'horizon du présent. De quelle manière? Nous nous proposons de le démontrer au cours des prochains chapitres.

Le degré zéro du roman (1837-1916)

Enfin vint *Maria Chapdelaine.* On n'ose imaginer dans quel désert ce cri a pu retentir, dans quelle désolation a dû s'enraciner le roman canadien-français pour croître. Au commencement était la légende, la mémoire ancestrale travaillée par la tradition orale des contes et des chansons populaires. Tel est le sol natal de nos premiers romans. Pendant qu'un demi-million de Canadiens français émigraient

24

aux États-Unis, Arthur Buies parlait d'un peuple «sans classe instruite» et Octave Crémazie d'une «société d'épiciers». Les manuels énumèrent des titres et des auteurs qu'on retrouve plus souvent dans une bibliothèque que dans une librairie; pour les moins illustres d'entre eux, il faut se rapporter aux bibliographies spécialisées. Nous passons maintenant derrière la ligne d'horizon. C'est le moment de sortir la lunette d'approche. Le XIXe siècle canadien-français est plus loin de nous, en un sens, que le Moyen Âge français.

Que retenir, dans la perspective qui est la nôtre, de cette ingrate et longue période de gestation du roman québécois? Peu de chose quant aux textes, mais beaucoup en ce qui concerne l'origine. Cette ascendance marquera l'écriture québécoise en profondeur: *Il n'y a pas de pays sans grand-père* (1977), comme dit le titre d'un roman de Roch Carrier.

Les Anciens Canadiens (1864) de Philippe Aubert de Gaspé, certains contes de Louis Fréchette et d'Honoré Beaugrand, *Angéline de Montbrun* (1883) de Laure Conan, *Marie Calumet* (1904) de Rodolphe Girard, *Le Débutant* (1914) d'Arsène Bessette, voilà quelques titres qui surnagent et gardent une certaine actualité. Depuis 1837 (date du premier roman publié au Canada français: *Le Chercheur de trésors ou l'Influence d'un livre* de Philippe Aubert de Gaspé fils), il s'est écrit des romans de colonisation, des romans historiques, des épopées sans héros, des romans d'exil intérieur, des aventures très diverses auxquelles manquera toujours la qualité du style. C'est une écriture pauvre, censurée, placée sous la haute surveillance d'une instance idéologique qui veille à l'orthodoxie du patriotisme comme au plus précieux des biens, quand il ne reste justement aucun autre bien. C'est vraiment le degré zéro du roman.

Et pourtant on écrit, on publie et on lit des romans, mais ce sont des romans écrits et publiés pour conjurer le danger du roman. Nos plus célèbres romanciers d'alors réclament plutôt l'honneur, à leurs yeux infiniment supérieur, d'enseigner quelque vérité à leurs lecteurs, quitte à utiliser pour y parvenir les moyens détestables du roman et à s'en excuser d'avance. Ce sont d'assez maigres débats d'idées péniblement mis sous la forme de la narration. Jamais le décalage n'aura été aussi prononcé entre la littérature d'ici et celle d'ailleurs, en ce XIXᵉ siècle qui est par excellence, dans tout l'Occident, l'«âge du roman».

Si imparfaites que soient ces pieuses reliques, vénérées dans les anthologies, elles n'en disent pas moins quelque chose qui rend assez curieusement un son familier, pour peu que l'on trouve le temps et surtout la patience de les (re)lire. La meilleure façon de le faire est d'y chercher un écho du présent. C'est ce que plusieurs critiques ont tâché de faire à propos des écrits d'une austère jeune fille qui s'appelait Félicité Angers et qui signait ses livres sous le pseudonyme de Laure Conan.

NOTES

[1] Voir P.-A. Linteau *et al.*, *Histoire du Québec contemporain*, tome 2: *Le Québec depuis 1930*, Montréal, Éditions du Boréal, 1989, p. 403, 777, 786.

[2] Voir S. Tellier, *Chronologie littéraire du Québec*, Québec, Institut québécois de recherche sur la culture, 1982, p. 349.

[3] André Belleau, «Les écrivains québécois sont-ils des intellectuels?» dans *Surprendre les voix*, Montréal, Éditions du Boréal, 1986, p. 157.

[4] Gilles Marcotte, «Histoire du temps», *Canadian Literature*, nᵒ 86, automne 1980, p. 96-97.

[5] Pierre Hébert, «Ces romans qu'on dit *populaires*», *Voix et Images* 43, vol. 15, nᵒ 1, automne 1989, p. 132.

[6] Laurent Mailhot, «Romans de la parole (et du mythe)», *Canadian Literature*, nᵒ 88, printemps 1981, p. 84.

[7] Cité par Benoît Melançon, «La littérature québécoise et l'Amérique. Prolégomènes et bibliographie», *Études françaises*, vol. 26, nᵒ 2, automne 1990, p. 67. Le numéro est consacré à «l'Amérique de la littérature québécoise».

[8] Telle est la thèse de Pierre Nepveu dans *L'Écologie du réel,* Montréal, Éditions du Boréal, 1988.

[9] Montréal, Presses de l'Université de Montréal, 1980.

CHAPITRE 2

Romans du groupe
et romans de l'individu

> Nous sommes ensemble, liés les uns aux
> autres, pour le meilleur et pour le pire,
> jusqu'à ce que passe la figure du monde.
>
> Anne Hébert, *Les Fous de Bassan*

Entre le rapport Durham (1839) et l'Acte de
l'Amérique du Nord britannique (1867), le projet de
créer une littérature nationale s'élabora dans un
contexte qui devait marquer la mentalité canadienne-
française jusqu'à la veille de la Révolution tranquille.
D'abord libéral au cours des années 1840, le mouvement littéraire fut récupéré par les ultramontains
autour de 1860. N'oublions pas, par exemple, que la
première revue littéraire fondée au Canada français,
Les Soirées canadiennes (1860), était sous l'influence
de l'abbé Henri-Raymond Casgrain, l'un des premiers
défenseurs de la thèse du messianisme canadien-
français. Selon cette vision du monde, le peuple
vaincu en 1760 était invité à croire à sa survivance
miraculeuse et à sa vocation providentielle. Telle
était l'idée directrice du mouvement littéraire de
laquelle ont jailli les premières œuvres écrites et
publiées au Canada français vers le milieu du XIXe

siècle. Le clergé, qui imposa cette représentation mythique du destin national, constituait alors le groupe social le plus influent et le mieux organisé: il exerçait un contrôle quasi absolu sur l'éducation, la presse écrite et la littérature.

Quelques années plus tôt, dans la première phase du réveil culturel,, qui fut la réponse du Bas-Canada (la province de Québec) au rapport Durham, l'historien François-Xavier Garneau, le poète Octave Crémazie et les membres de l'Institut canadien (lieu de regroupement des forces libérales) avaient developpé l'influence dominante de la jeune littérature canadienne-française. Le durcissement idéologique de 1860 allait faire des difficultés particulières au développement du roman québécois. Le problème est de divers ordres. Premièrement, le roman est une forme littéraire moderne: comment la liberté et la mobilité du genre peuvent-elles s'accommoder du traditionalisme qui domine alors les milieux de la culture et de l'enseignement au Canada français? Deuxièmement, l'évolution du roman européen aboutit au réalisme[1], alors que les littéraires canadiens-français préfèrent encore idéaliser les mœurs, taire les conflits sociaux et bâillonner l'expression de la sexualité pour respecter les conventions morales et religieuses. Enfin, le roman permet la représentation d'individus complexes au moyen de l'analyse psychologique, mais la littérature canadienne-française ne vise qu'à resserrer l'unité du groupe dans la cohésion sacrée d'un système de valeurs dont font partie la langue, la religion et la nationalité.

Ce chapitre tente de situer la solution de ces questions entre deux pôles: d'une part, des romans centrés sur les valeurs collectives; d'autre part, des romans qui font la critique de ces mêmes valeurs en les soumettant à l'épreuve d'une conscience individuelle. Notre titre suggère une division bipartite: romans du groupe et romans de l'individu. Il faut cependant noter que nous nous préoccuperons surtout de ces derniers. Pourquoi ce déséquilibre? Existe-t-il des romans du groupe? Évidemment, oui.

Leur nombre est important et ce sont parfois les meilleurs, mais la catégorie est problématique parce que le groupe y est plutôt présent dans la peinture d'un milieu, d'un espace social où l'action s'exerce toujours par ou sur des individus. Autrement dit, groupe et individu sont en conflit. On ne s'étonnera donc pas de nous voir adopter une perspective qui privilégie les romans de l'individu puisque ceux-ci ont intériorisé le roman du groupe pour mieux l'exorciser. En réalité, le groupe est ordinairement présent dans les romans de l'individu. Les romans qui se résument à des plaidoyers patriotiques inspirés par le climat idéologique du temps et qui subordonnent leur action et leurs personnages à la célébration des vertus nationales sont des romans du groupe. À titre d'exemples, mentionnons *Pour la patrie* (1895) de Jules-Paul Tardivel, presque tout le genre du roman historique et les romans à thèse de Lionel Groulx (*L'Appel de la race*, 1922, *Au cap Blomidon*, 1932). Florissantes jusque vers 1930, ces œuvres sont moins lisibles aujourd'hui. Il suffit de retenir que le contenu de ces fictions maladroites survit à l'état de vestige ou de substrat dans la plupart des romans qui s'efforceront, plus tard, d'en tirer l'émergence d'un personnage romanesque individualisé.

Le choix de la souffrance

Le premier roman psychologique écrit au Québec est l'œuvre de Laure Conan, pseudonyme de Félicité Angers (1845-1924). La romancière est née à La Malbaie, où elle passa sa vie dans une retraite consacrée à la méditation et à l'écriture de plusieurs romans historiques.

Orpheline de mère, l'héroïne d'*Angéline de Montbrun* (1881) est une jeune fille de dix-sept ans éduquée dans l'affection à la fois sévère et tendre de son père. Un honnête prétendant, Maurice Darville, se présente pour obtenir la main d'Angéline. Sa demande est bientôt agréée, mais le père a fixé un délai de trois ans avant le mariage. Deux malheurs viennent entre temps bouleverser le cours des événements: d'abord, Charles de Montbrun meurt des suites d'un accident de chasse et sa fille tombe dans un état de dépression qu'aggrave un accident qui la laissera défigurée. La jeune femme libère ensuite son fiancé de son engagement parce qu'elle doute des sentiments de celui-ci depuis qu'elle-même a perdu sa beauté. Enfin, elle prolonge son deuil par une réclusion perpétuelle où elle croit lire la volonté de la Providence et le sens de son destin: «Les joies du cœur ne sont plus pour moi, mais je voudrais l'intimité d'une âme forte, qui m'aidât à acquérir la plus grande, la plus difficile des sciences: celle de savoir souffrir.»

En 1961, l'essayiste Jean Le Moyne affirmait «qu'il serait difficile de trouver dans notre littérature un livre plus malsain qu'*Angéline de Montbrun*[2]». Même sans le secours de la psychanalyse, l'évidence saute aux yeux: la jeune fille refuse le mariage parce qu'elle est éprise de son père. La critique s'est longuement demandé comment l'inceste à peine voilé avait pu passer inaperçu des lecteurs de 1881, mais il n'est pas sûr qu'*Angéline de Montbrun* transgresse sciemment la morale établie. L'importance du roman tient plutôt à sa recherche infiniment subtile d'un «savoir souffrir»: «Puisqu'il faut mourir, ce sont les heureux qu'il faut plaindre.» Le premier personnage québécois doté d'une véritable intériorité et occupant tout l'espace d'une fiction romanesque naît de ce cri: «Ô mon Dieu, laissez-moi l'amère volupté des larmes!» Laure Conan fixe ainsi le modèle d'une certaine disposition de l'âme dont on pourrait citer d'innombrables exemples dans l'histoire du roman québécois. De Donalda Laloge (*Un homme et son péché*, 1933) à Rose-Anna Lacasse (*Bonheur d'occasion*, 1945), on reconnaît là le stéréotype de la mère sacrifiée, mais on aurait tort de conclure que les héros masculins échappent à ce masochisme mélodramatique. Les exemples du contraire ne manquent pas:

Sous l'étreinte de la douleur, il eut conscience qu'un homme nouveau allait naître en lui. Il s'en épouvanta. (...) À cet autre lui-même qu'adviendrait-il?

(Arsène Bessette, *Le Débutant*, 1914.)

Il comprenait cruellement que s'il y a des êtres qui sont faits pour le plaisir, il n'en était pas, il n'en serait jamais...

(Robert Charbonneau, *Ils posséderont la terre*, 1941.)

Il avait une vocation à la souffrance jointe à un appétit maladif de perfection.

(André Giroux, *Au-delà des visages*, 1948.)

Dans *Angéline de Montbrun*, le récit se limite à l'analyse du cœur humain; le cadre de la vie domestique est à peine évoqué. Tout se passe dans une sorte de sanctuaire intérieur: la société et l'histoire n'y ont aucune place; la nature, qui confère à certaines pages leur beauté romantique, joue le rôle de confidente muette. Apothéose de la paternité idéale, l'autorité patriarcale y est réduite à l'état de pure abstraction. Le choix du célibat par Angéline n'en constitue pas moins une rupture de l'ordre établi, mais la véritable audace de ce roman réside moins dans la résolution de l'héroïne que dans la technique de la romancière, qui combine la correspondance et le journal intime afin de mieux pénétrer à l'intérieur d'une conscience tourmentée.

Après *Angéline de Montbrun*, premier roman de l'individu, voici un exemple intéressant de roman du groupe: *Pour la patrie* (1895) est le premier roman séparatiste et le premier roman d'anticipation (l'action se passe en 1945) de la littérature québécoise. L'auteur, Jules-Paul Tardivel (1851-1905), est un journaliste catholique qui a consacré sa vie à combattre les idées libérales dans un journal qu'il a fondé en 1881, *La Vérité*. Tardivel considérait le roman moderne comme «une arme forgée par Satan lui-même pour la destruction du genre humain». En publiant *Pour la patrie*, le seul roman qu'il ait écrit, Tardivel poursuivait son œuvre polémique sur le terrain de ses adversaires, en retournant contre eux leurs propres armes.

Ce roman à thèse veut montrer la voie du salut politique et spirituel du peuple canadien-français:

> Dieu a planté dans le cœur de tout Canadien français patriote «une fleur d'espérance». C'est l'aspiration vers l'établissement, sur les bords du Saint-Laurent, d'une Nouvelle-France dont la mission sera de continuer sur cette terre d'Amérique l'œuvre de civilisation chrétienne que la vieille France a poursuivie avec tant de gloire pendant de si longs siècles.

L'intrigue est compliquée, mais se résume par un scénario constitutionnel sur fond de débat parlementaire. Après l'accession du Canada à sa pleine souveraineté, accordée par Londres, Ottawa doit établir les rapports entre le Québec et la majorité anglo-protestante du Canada dans la nouvelle Constitution. Manipulé dans les coulisses par la franc-maçonnerie, le gouvernement conservateur prépare la ruine du catholicisme et de la nationalité canadienne-française par un projet de loi qui abolirait les droits historiques du Québec. Grâce à la vigilance d'un député et d'un journaliste dévoués à leur patrie, le complot est déjoué de justesse et le Parlement canadien vote la création d'un État indépendant, catholique et français sur le territoire québécois.

Pour la patrie tient évidemment de la politique-fiction. On ne peut pas dire que Tardivel soit un excellent romancier, mais les défauts de son art sont instructifs parce qu'ils soulignent les difficultés que rencontrera le roman de l'individu lorsque des romanciers du XXe siècle voudront s'essayer à l'analyse psychologique. Parlant du héros Joseph Lamirande, le narrateur de *Pour la patrie* écrit: «Le patriotisme l'emporta chez lui même sur l'amour conjugal.» Les personnages de Tardivel n'ont aucune vraisemblance humaine et tous leurs comportements sont dictés par le jeu des intérêts conflictuels qui divisent le monde entre le bien et le mal. Pourtant, cette vision manichéenne n'exclut pas une observation serrée des enjeux réels. Le rédacteur de *La Vérité* connaît très bien les discours de son temps, mais la trame politique de son récit s'inspire d'une conception surnaturelle: l'histoire de la réalité sociale serait celle de la lutte entre deux principes opposés, Dieu et Satan. *Pour la patrie* relève en fait d'une sorte de réalisme métaphysique. Le cas est unique dans la littérature canadienne-française, mais il est significatif. L'œuvre devient ainsi l'illustration exemplaire de l'idéologie messianique qui sous-tend souvent ce que nous appelons ici le roman du groupe.

Le choix de la révolte

Roman d'apprentissage, *Le Débutant* (1914), d'Arsène Bessette, raconte l'initiation d'un jeune journaliste à la pratique de sa profession. Paul Mirot a tôt fait d'apprendre que les entreprises de presse sont les instruments serviles du pouvoir politique et que celui-ci est prisonnier des bailleurs de fonds qui contribuent aux caisses électorales des partis. Le roman fait place à l'observation de la réalité urbaine de Montréal: le milieu du théâtre et du divertissement, le décor quotidien de la rue, l'animation d'une population cosmopolite sont décrits avec un luxe de détails. L'alcoolisme, la prostitution et l'union libre font partie du tableau. À cet égard, Arsène Bessette est en avance de plusieurs années sur ce qui s'écrit à l'heure du régionalisme et de la littérature du terroir. Il dénonce l'humiliation d'une société mise en tutelle par la bigoterie de ses élites:

> Nous avons eu le spectacle d'hommes politiques posant à toutes les vertus quand ils avaient tous les vices, invoquant le ciel à tout propos quand ils n'y croyaient plus, léchant les crosses épiscopales qui menaçaient de leur casser les reins, par opportunisme et lâcheté, abandonnant ceux qui les avaient aidés à arriver aux honneurs pour favoriser ensuite leurs pires ennemis.

Une telle protestation manifeste la naissance difficile d'un héros motivé par des aspiration individuelles. Un fossé infranchissable s'est creusé entre les valeurs établies et la liberté nécessaire à la conscience personnelle comme à l'indépendance de la pensée. Dans le titre et dans le discours d'un roman de Jean-Charles Harvey, *Les Demi-Civilisés* (1934), le mot «civilisation» renvoie à la nécessité de soumettre à l'examen critique des vérités tenues jusque-là pour indiscutables. Chez les romanciers des décennies 40 et 50, les signes de malaise se multiplient à mesure que la contradiction devient plus évidente entre le discours et la réalité: le premier s'accroche aux valeurs traditionnelles pour conjurer les changements économiques de la seconde emportée par la révolution industrielle. Robert Charbonneau écrit, dans *Ils posséderont la terre* (1941): «Il est dur, sans transition, de faire un intellectuel d'un fils de paysan.»

Plusieurs romans d'apprentissage de cette époque racontent l'histoire d'un jeune homme à la recherche de son destin. L'intrigue débouche normalement sur une crise intérieure au terme de laquelle le héros rejette les idées reçues de son entourage et les valeurs imposées par sa culture. La conclusion de l'aventure achoppe sur une détresse personnelle souvent stérile au lieu de provoquer la transformation souhaitée du milieu. *Ils posséderont la terre* (1941), de Robert Charbonneau, *Au-delà des visages* (1948), de Robert Giroux, *Mathieu* (1949), de Françoise Loranger, *La Fin des songes* (1950), de Robert Élie, *Poussière sur la ville* (1953), d'André Langevin, *La Bagarre* (1958), *Les Pédagogues* (1961) et surtout *Le Libraire* (1960), de Gérard Bessette, appartiennent à cette longue liquidation romanesque de la tradition. Ces œuvres renversent le cours de l'histoire des idées transmises par les élites canadiennes-françaises. Au moment même où prend fin l'ancien roman de la terre, la psychologie du personnage connaît sa crise de conscience moderne: l'angoisse tourmentée d'un individu problématique remplace le culte ancestral d'un petit peuple menacé.

Alors que le pur roman du groupe relève d'un système de signes univoque, le roman de l'individu critique la culture canadienne-française en imaginant une forme de récit qui fonctionne sur un double système de signes. Le roman du groupe, qui est celui de l'épopée nationale, valorise un personnage marqué par l'acceptation d'une souffrance salutaire. Le roman de l'individu interrompt et subvertit ce récit grâce à un héros animé par la révolte et le refus des valeurs admises. La tension qui s'établit entre les deux catégories contient une violence doublement représentée: voilée au profit de l'unité de la nation dans les romans du groupe, la fureur éclate au détriment de la pensée monolithique dans les romans de l'individu.

En 1934, la parution des *Demi-Civilisés*, de Jean-Charles Harvey, provoque les foudres du cardinal Villeneuve, archevêque de Québec. L'intervention archiépiscopale fait perdre à l'auteur son poste de rédacteur en chef au quotidien *Le Soleil*, mais elle favorise du même coup le succès de son roman. Le narrateur des *Demi-Civilisés* est lui aussi journaliste, mais il choisit carrément la révolte: Max Hubert instruit le procès de la médiocrité érigée en principe de gouvernement et élève un cri de protestation qui annonce la fin de l'unanimité triomphante:

> On vous dit parfois qu'il vous est défendu de penser librement. Les auteurs d'un décret aussi infâme sont grandement coupables. On ne saurait mieux s'y prendre pour tuer la valeur individuelle au nom d'on ne sait quelle médiocrité collective qu'on encourage au seul bénéfice d'une caste, sous le faux semblant de l'ordre, de la tradition et de l'autorité.

L'une des œuvres les plus intéressantes de l'entre-deux-guerres, dans la catégorie qui nous intéresse ici, est celle de Rex Desmarchais (1908-1974). Romancier précoce à la carrière trop brève, l'auteur de *L'Initiatrice* (1932) et de *La Chesnaie* (1942) tente de résoudre la tension qui oppose le roman du groupe au roman de l'individu. On croirait lire la fusion impossible de Jules-Paul Tardivel et de Laure Conan! En dépit d'un admirable effort d'écriture pour exprimer la vérité des sentiments, les romans de Desmarchais trahissent une naïveté touchante et souffrent visiblement de l'imitation de leurs modèles français, notamment de Paul Bourget: «(...) j'avais choisi les seules œuvres où la souffrance et la mort sont inséparables de la volupté et de l'amour.»

Une nouvelle d'Anne Hébert, *Le Torrent* (1950), résume, dès les premiers mots, la donnée fondamentale qui annonce le virage prochain de la Révolution tranquille: «J'étais un enfant dépossédé du monde. Par le décret d'une volonté antérieure à la mienne, je devais renoncer à toute possession en cette vie.» La même année, dans *La Fin des songes*, Robert Élie fait écrire à son héros, Marcel: «Cet enfant qui a grandi à l'ombre des églises ne garde que le souvenir d'une totale profanation (...).»

Ces personnages font l'expérience d'une fissure entre eux-mêmes et le monde. L'unanimité de jadis, qui cimentait l'édifice communautaire par le renoncement des individus, est bel et bien rompue, mais les effets de cette rupture ne seront plus observés principalement sur la scène publique (comme chez Paul Mirot ou Max Hubert): c'est dans la vie des sentiments et dans l'urgence quotidienne du désir que se pose maintenant la question. Que se passe-t-il lorsqu'un homme se rend compte que rien dans son éducation ni dans les êtres qui l'entourent ne peut fonder la conduite de sa vie? «Cherche Dieu dans ta vie et un immense vide répond à l'appel de ce mot. Pouvait-il habiter les églises de ton enfance ou inspirer l'enseignement de tes maîtres?» Ainsi s'exprime le désespoir lucide de Marcel dans *La Fin des songes*: la solitude d'une amitié refroidie et la culpabilité d'une liaison malheureuse le conduisent au suicide sans inquiéter l'hypocrisie ambiante.

Ces romans innovent aussi du point de vue formel en introduisant la narration à la première personne, en brisant la linéarité du récit et en substituant la nudité de l'écriture à l'ancienne rhétorique des enfants de la terre.

Dans *Au-delà des visages* (1948) d'André

Giroux, le héros brille par son absence. Le lecteur n'apprend rien de lui si ce n'est indirectement, par recoupements, à travers une narration divisée entre une quinzaine de regards braqués sur un fait divers et par autant de «témoins» impliqués de près ou de loin dans cette affaire. Voici l'événement: Jacques Langlet a étranglé une prostituée après lui avoir fait l'amour. Son crime s'explique apparemment par le besoin d'expier la perte de sa «pureté». Le jeu de la composition fait habilement ressortir les ramifications sociales du délit. Le romancier instruit le procès d'une société qui réprime la sexualité au prix d'une castration de l'individu. La leçon du roman de Giroux renverse brusquement les données objectives du crime: coupable aux yeux de tous, Langlet est en fait un être d'exception qui a voulu défendre son intégrité dans un milieu lâche et uniformément corrompu: «Il détestait la vie mensongère telle que l'a édifiée une société qui ne tient pas à voir la vérité en face, qui ne veut même pas la regarder du tout, qui refuse simplement de l'admettre.»

Dans *Mathieu* (1949), Françoise Loranger cherche à saisir les conséquences de cet héritage culturel par l'analyse psychologique. À la différence des romans précédents, le héros réussit à se transformer au moyen de l'écriture et d'une thérapie physique. La clé de son succès passe par le rejet des attitudes caractéristiques d'une bourgeoisie confite dans sa médiocrité. La mère de Mathieu lui a transmis une morale dont les éléments nous sont maintenant connus:

> Jamais il n'avait été question de joie; tout, au contraire, tendait à l'abolir et à faire ramper les âmes vers le confessionnal. (...) On l'avait donc trompé toute sa vie?

Chez André Langevin (*Poussière sur la ville*, 1953), le nouvel humanisme d'un héros existentialiste dénonce simultanément la mentalité d'assiégés des habitants d'une petite ville industrielle et le capitalisme sauvage qui justifie paradoxalement cet immobilisme. Le Dr Alain Dubois est sans doute l'un des personnages les plus fortement dessinés parmi les romans de l'individu. Narrateur et témoin passif de la liberté suicidaire de sa jeune épouse, Madeleine, il se livre à un long monologue intérieur devant un décor tragique où le visage des hommes disparaît sans dissiper l'indiscrétion de leur regard.

Le choix de l'étrangeté

Après 1960, les Québécois vont adopter massivement le discours du changement et en hâter la concrétisation dans plusieurs domaines. L'élection du Parti libéral aux élections provinciales de cette année-là représente beaucoup plus que la victoire politique qui met fin à quinze ans de régime duplessiste: c'est le lancement de la Révolution tranquille. Aussi le roman québécois de la nouvelle génération révoque-t-il le culte d'un passé nébuleux pour mieux scruter le présent avec une attention accrue. *Le Libraire* (1960), de Gérard Bessette, marque bien le passage puisque l'intrigue tourne autour d'un livre vendu à un collégien par un libraire insoucieux de la loi de l'Index. Au-delà de cette anecdote, la narration laconique d'Hervé Jodoin agit comme une véritable tempête sur le village frileux de Saint-Joachim. Le décor désuet et la société léthargique qui encadrent les péripéties de cet «opéra comique» montrent le roman du groupe révélé comme en négatif dans le journal intime d'un héros solitaire qui se veut étranger à la culture globale des Joachimiens. L'ère sartrienne de *La Nausée* (1938) vient de rattraper le roman québécois.

Dans *L'Hiver de force* (1973), de Réjean Ducharme, André et Nicole Ferron, les deux narrateurs associés[3] de cette chronique d'hibernation, adressent une fin de non-recevoir à la culture de masse et à la société de consommation. Après des études à l'École des beaux-arts, ils végètent en exerçant le métier de correcteurs d'épreuves à la pige. Ils refusent le système du plus profond de leur âme, au niveau existentiel et non pas en vertu d'une quelconque idéologie de contestation. Le vieux nationalisme est mort, mais on le regrette presque en songeant à la nouvelle tyrannie des modes, des mots d'ordre, de la publicité, du cinéma et surtout de la télévision. Les deux héros résistent férocement à cet abrutissement organisé par une sorte de désespoir volontaire. Leur refus ne vise pas seulement la situation québécoise, mais le mode de vie nord-américain, qui s'étend à toute la planète. Nicole et André regardent la télévision assidûment et lisent *La Flore laurentienne*, du frère Marie-Victorin.

Le leitmotiv «Pas nous», qui sert de contrepoint au roman, ne dénonce pas seulement les salauds, les capitalistes et les syndicalistes. Il exclut aussi des personnes aimées passionnément par les deux héros (l'artiste peintre Laïnou et la comédienne Catherine). Dans ce rejet, qui est au centre du roman, il est permis de lire une étrangeté fondamentale de la conscience de soi devant le monde:

> Les récœurements attendent les rexaltations et les mêmes espoirs suivent les déceptions pareilles: c'est mesuré pour s'égaliser et maintenir à zéro ton total. Pas moyen d'être heureux, pas moyen d'être malheureux. Tout annule tout. Et aucuns efforts, courages, jeûnes, ne peuvent donner à personne, mendiant, gendarme, ferblantier, crotté, trois testicules, pas de testicule, d'échapper à cette équation. Ça te donne rien de dépasser les autres.

Devenus chômeurs, Nicole et André refusent progressivement toutes les commandes de travail rémunéré, vendent les meubles de leur appartement, dont ils sont bientôt expulsés faute de payer le loyer, et finissent par vagabonder ici et là, vivant aux crochets des amis. La principale occupation du couple consiste à tuer le temps, sans s'illusionner sur le succès de l'entreprise: «Qu'est-ce qu'on a fait de notre temps? On en a tué le plus qu'on a pu. On ne peut plus et il nous en reste autant.» *L'Hiver de force* étend la violence qui menace l'intégrité de la personne à une échelle beaucoup plus vaste que le groupe social dans lequel vit l'individu.

La vie est remplie de déceptions mais on est des capables. On est capables de le prendre! On est même capables de trouver ça bon! (...) Depuis tout à l'heure: plus rien de pas bon; on l'a décidé; puis nous quand on décide de quoi c'est du solide; c'est final, fatal, brutal.

On pourrait penser que le roman du groupe appartient désormais à un passé révolu. Ce serait simplifier à outrance que de le croire, même si l'évolution du roman québécois semble en effet confirmer cette idée. Un dernier exemple montrera qu'une œuvre majeure peut toujours naître de cette origine ensevelie. Le roman en question semble se tenir suspendu hors du temps et son écriture rend toute la lourdeur religieuse de l'atmosphère qui entoure le viol et l'assassinat de deux adolescentes marchant au bord de la mer, pendant la nuit du 31 août 1936. Anne Hébert situe l'action de cette tragédie à Griffin Creek, site imaginaire de la côte gaspésienne où se déroule l'intrigue des *Fous de Bassan* (1982). Le crime est intimement lié à la vie pastorale d'un village isolé qui reproduit assez exactement la microsociété traditionnelle du Canada français, même s'il s'agit d'une communauté de loyalistes anglo-protestants. L'inversion des stéréotypes ethniques n'est évidemment pas innocente: la population minoritaire de cette bourgade biblique se comporte à peu près comme la majorité des anciennes paroisses catholiques du Canada français. Les mariages entre les familles ont resserré un tissu social déjà homogène et maintenu tel par l'autorité du pasteur.

Griffin Creek donne l'impression d'une seule famille réunie sous la figure grincheuse d'un patriarche, mais ce dernier ne s'y trompe pas lorsqu'il écrit: «Mais en réalité chacun d'entre eux désirait devenir *étranger à l'autre*, s'échapper de la parenté qui le liait aux gens de Griffin Creek, dépositaires du secret qu'il fallait oublier pour vivre.» Le geste atroce de Stevens Brown, l'auteur du double meurtre passionnel, répond à ce désir de départ, secrètement partagé par tous les habitants du village immobilisé, prisonnier d'un temps figé par la parole de Dieu sur le destin des hommes: «Être quelqu'un d'autre, quelle idée est-ce là qui me poursuit toujours?» Deux forces s'affrontent dans l'âme de ce personnage: la première est la «parenté qui le liait aux gens de Griffin Creek» , et qu'on pourrait appeler la pensée du même; la seconde est l'idée d' «être quelqu'un d'autre». Cette obsession n'est que le renversement logique de l'idéal communautaire, qui prétendait clore le cercle de l'identité. Toute l'œuvre d'Anne Hébert s'emploie d'ailleurs à faire voler en éclats la langue symbolique du paternalisme fondateur.

Au terme de ce parcours se dégage une constatation. Il semblerait que plus l'idéologie resserre son emprise sur la société, plus le roman révèle l'aliénation de ses personnages. C'est pourquoi la fureur destructrice éclate: inceste, viol, suicide, meurtre dénoncent la violence cachée que le groupe exerce sur la vie et sur l'identité de ses membres.

NOTES

[1] Le chapitre 4 traite particulièrement de la question du réalisme et de son avènement tardif dans le roman québécois.

[2] *Convergences*, Montréal, Éditions Hurtubise HMH, 1961, p. 89.

[3] Il faut comprendre que c'est André qui écrit, mais que son récit inclut le plus souvent le point de vue de sa sœur, à qui sa vie est intimement liée.

CHAPITRE 3

Romans du territoire
et romans de l'espace

> Que les livres soient sur vos murs des
> cartes inachevées de l'univers.
>
> Yvon Rivard, *Mort et Naissance de*
> *Christophe Ulric*

Des *Engagés du Grand Portage* (1939) de Léo-
Paul Desrosiers à *Copies conformes* (1989) de
Monique LaRue, les lieux où se déroule l'action des
romans québécois débordent largement les frontières
du Québec. Apparent depuis un demi-siècle surtout,
cet élargissement peut surprendre quand on sait que
le roman du terroir franchissait rarement le milieu
rural de la vallée du Saint-Laurent. On n'a pourtant
qu'à se souvenir des récits de voyages et des annales
missionnaires du Régime français pour comprendre
que l'appel des grands espaces relève d'une tradition
à la fois historique et littéraire. À considérer le développement de la Nouvelle-France et la fragilité constante de sa colonisation, on s'explique mal la place
que tient l'agriculture sédentaire dans la littérature
canadienne-française: comment l'imaginaire nomade
des Pays-d'en-Haut a-t-il abouti au roman paysan de

l'enracinement, qui s'élabore au milieu du siècle dernier pour se survivre jusqu'après la Deuxième Guerre mondiale? Tel est le véritable sujet d'étonnement.

Aux XVIIe et XVIIIe siècles, les aventuriers de la traite des fourrures — coureurs de bois et voyageurs — ont été les premiers explorateurs du continent nord-américain et les agents de l'expansionnisme français. Au début du XIXe siècle, ils n'étaient plus que les survivants du rêve grandiose qui embrassait l'ancienne Amérique française. La défaite de 1760 avait freiné leur carrière commerciale, mais le romantisme canadien effaça leur souvenir au profit des figures du soldat laboureur et du prêtre martyr, symboles plus conformes à la littérature messianique qui s'impose après 1860. C'est peut-être pourquoi le coureur de bois n'est guère entré dans le roman comme héros: à peine y tient-il une place de figurant, ou plutôt de stéréotype, entre l'Indien pittoresque et le conteur du village. En fait, l'homme des forêts sauvages n'est alors qu'un spectre de bonne compagnie dont la présence se conserve dans la tradition orale plus que dans la littérature naissante, qui atténue, en les transcrivant, les images de la mémoire populaire.

Dans *Les Engagés du Grand Portage* (1939), pourtant, Léo-Paul Desrosiers reconstitue la vie des derniers coureurs de bois au moment où le monopole anglo-montréalais de la Compagnie du Nord-Ouest embauchait la main-d'œuvre canadienne-française pour l'exploitation du marché de la fourrure. L'action se passe dans les premières années du XIXe siècle. Ce roman historique bouscule quelques idées reçues; l'envoûtement des grands espaces n'est pas dans l'esprit du régionalisme qui prévaut dans le roman des années 30, non plus que la violence féroce opposant des compagnies rivales par «voyageurs» interposés.

Bien que les romans des années 50 et 60 se situent dans un «ailleurs» dont les coordonnées sont d'abord symboliques, sociales et psychologiques, la liberté mythique du coureur de bois y fournit souvent les traits d'un héros désormais engagé dans une quête intérieure. Il en est ainsi, par exemple, chez André Langevin (*Le Temps des hommes*, 1956), Gérard Bessette (*La Bagarre*, 1958), Gabrielle Roy (*La Montagne secrète*, 1961) ou Yves Thériault (*La Quête de l'Ourse*, 1979[1]). Mais c'est plus près de nous, vers la fin des années 70 et dans la décennie 80, que se produit ce qu'on a appelé la «déterritorialisation» du roman québécois. Jacques Godbout, Jacques Poulin, Louis Gauthier, Denys Chabot, Pauline Harvey, Sylvain Trudel, Monique LaRue ou Yvon Rivard emmènent leurs lecteurs aux extrémités de l'Amérique et du monde. Cet éclatement est aussi lisible chez Jacques Ferron, grand géographe du «pays incertain». Nul doute que le roman québécois s'expose ici à la fin d'un autre de ses mythes d'origine. Nous avons vu, au deuxième chapitre, comment la dégradation du collectivisme canadien-français débouche sur la figure d'un nouveau héros romanesque. Une mutation d'égale importance s'opère dans la configuration spatiale des récits.

Ce chapitre se propose de dessiner la géographie imaginaire du roman québécois. La carte se divise en deux grandes régions: la première comprend des romans de l'enracinement, fascinés par l'ici, axés sur la possession, animés par l'âme sédentaire: ce sont les romans du territoire; la seconde est une zone traversée par tous les vents du large, du lointain, de l'ailleurs: ce sont les romans de l'espace. Les romans du territoire, excepté ceux du terroir, ont donné lieu au réalisme paysan (*La Scouine*, *Trente Arpents*), puis aux romans du questionnement de l'identité (*Menaud, maître-draveur*, *Prochain Épisode*, *Le Couteau sur la table*). Les romans de l'espace accueillent le débordement du pays étriqué que la thématique territoriale a comprimé parfois à l'excès; l'épanchement se dirige naturellement vers tout ce qui entoure les limites du territoire: la forêt, les pays voisins (Canada anglais, États-Unis) et étrangers (France, Orient). D'Hubert Aquin (*L'Antiphonaire*, 1969) jusqu'à Yvon Rivard (*Les Silences du corbeau*,

1986), beaucoup de romanciers québécois participent à ce décloisonnement.

Les romans du territoire

Les titres du roman paysan parlent d'eux-mêmes: *La Terre paternelle* (1846) de Patrice Lacombe, *Restons chez nous* (1908) et *L'Appel de la terre* (1919) de Damase Potvin, *La Terre vivante* (1925) de Harry Bernard. La tradition agriculturiste et régionaliste traduit le repli collectif qui doit assurer la survivance du peuple canadien-français, selon la pensée de l'époque; car la terre ne signifie pas seulement l'attachement au sol nourricier, mais aussi la fidélité aux valeurs distinctives de la langue et de la religion. Dans ces romans qui révèlent la mémoire nostalgique des ancêtres colons et défricheurs, toute réalité extérieure est perçue comme une menace et vécue comme un exil. Il faut bien convenir que cette littérature d'édification est difficilement lisible aujourd'hui, à l'exception de *Maria Chapdelaine* (1916), de Louis Hémon, qui reste une œuvre incontournable. Ce célèbre roman pose déjà tous les éléments de la structure spatiale que nous essayons d'esquisser ici. Souvenons-nous que l'héroïne doit choisir entre trois soupirants: le coureur de bois François Paradis, l'habitant Eutrope Gagnon et l'exilé Lorenzo Surprenant. Le premier meurt en forêt, lieu légendaire de l'aventurier primitif; restent donc les deux autres, qui représentent l'alternative habituelle: la campagne natale ou la ville étrangère. Comme pour mieux souligner le contraste d'un tel choix, Eutrope, voisin des Chapdelaine, incarne le type du bon cultivateur, tandis que Lorenzo a vendu la terre paternelle afin de pouvoir s'expatrier aux États-Unis, dont il vante les divertissements modernes et le niveau de vie avantageux. Ces trois personnages déploient par conséquent les trois axes qui mesurent l'espace fictif du roman québécois.

Il faut attendre la fin des années 30 pour lire deux romans qui modifient substantiellement le sens et la forme de la thématique territoriale: *Menaud, maître-draveur* (1937) de Félix-Antoine Savard et *Trente Arpents* (1938) de Ringuet. Ces deux romanciers introduisent une idée radicalement contraire à l'essence de la tradition: ils inscrivent la dépossession là où tous leurs devanciers ont voulu voir l'enceinte inviolable de l'intégrité de la race. Insistons encore, quitte à nous répéter: le territoire, en effet, c'est le legs moral des pionniers tout autant que la propriété d'un fonds de terre. Le roman de la terre disait à peu près ceci: «Si nous restons fidèles à nos origines, aux mœurs de nos pères et aux vertus qu'enseigne notre histoire, rien ne pourra menacer notre survie à l'avenir.» Or, que se passe-t-il dans *Menaud* et dans *Trente Arpents*? Les deux romans racontent la ruine et la déchéance complète de deux héros caractérisés par leur adhésion exemplaire à l'héritage du passé. Le renversement du message traditionnel est frappant, dramatique, brutal.

Deux générations plus tard, les romanciers d'après 1960 vont toucher de nouveau au cœur de la question de l'identité, mais dans un contexte différent. *Le Cabochon*, d'André Major, *La Ville inhumaine*, de Laurent Girouard, ou *Le Couteau sur la table*, de Jacques Godbout, trois romans publiés en 1964, expriment, bien qu'autrement, le même sentiment du héros qui se découvre sans rapport vital avec son univers. Dans *Salut Galarneau* (1967), autre roman de Godbout, le Québec est une succursale officieuse des É.-U. et un pis-aller pour le narrateur, qui rêve d'un ailleurs dont la hantise évite de justesse l'aliénation grâce à l'écriture. Hubert Aquin pousse l'obsession territoriale jusqu'à l'absurde, avec une logique implacable, dans *Prochain Épisode* (1965); héros révolutionnaire et agitateur terroriste, le narrateur de ce roman inscrit son action fictive dans l'Histoire en racontant l'échec d'une mission qu'il devait remplir en Suisse. Sa lamentable déroute objective appelle l'évocation métaphorique de certains personnages de Balzac et des patriotes de 1837. *Prochain Épisode* marque l'ultime possibilité de l'affirmation territoriale puisque l'objet du récit se trouve projeté hors du texte, dans un avenir qui accomplirait par les armes la souveraineté du territoire québécois, ce qu'aucun texte ne peut assurer: «Mon récit est interrompu parce que je ne connais pas le premier mot du prochain épisode. Mais tout se résoudra en beauté. (...) Les pages s'écriront d'elles-mêmes à la mitraillette...»

Au milieu de la décennie 70, André Major publie une trilogie, *Histoires de déserteurs*, composée de *L'Épouvantail* (1974), *L'Épidémie* (1975) et *Les Rescapés* (1976). Commencée dix ans plus tôt en pleine Révolution tranquille, l'œuvre du romancier atteint ici sa maturité. Dans cette chronique d'une fuite collective, les personnages traqués annoncent la fin de tout territoire dans la dissolution des anciennes solidarités sociales. On ne saurait trouver meilleure illustration de la transition romanesque entre le territoire et l'espace. Tout le théâtre de l'action se déplace entre le village (Saint-Emmanuel) et la ville (Montréal), entre la forêt et la rue, entre l'amour et la mort. La narration, sobre mais complexe, s'adapte à la diversité des actions par une mobilité constante.

Les romans de l'espace

D'une façon générale, les romans de l'espace font suite aux romans du territoire, auxquels ils réagissent en s'affranchissant de l'exiguïté du pays et de la pensée qui s'y rattache. Ce réflexe s'est manifesté assez tôt, comme l'indique l'exemple de *Maria Chapdelaine*. On peut même trouver des romans plus anciens où l'espace américain est déjà présent: *Jeanne la Fileuse* (1878), d'Honoré Beaugrand, prend pour sujet l'émigration des Canadiens français en Nouvelle-Angleterre. Les contemporains de Beaugrand avaient l'habitude de décrire les expatriés comme des traîtres, alors que *Jeanne la Fileuse* veut les défendre. Mais le premier cas vraiment représentatif d'un roman inspiré par l'immensité du continent reste *Les Engagés du Grand Portage* (1939) de Léo-Paul Desrosiers.

> Par cette journée de froid sec et clair, la glace se dilate: des craquements accourent du fond de l'horizon, passent en zigzags sous les pieds avec des éclatements de tonnerre, s'en vont mourir sourdement dans le lointain en laissant derrière eux de larges fissures. Puis, plus rien ne bouge, c'est l'infini silence gelé. Seules, les petites ombres noires des voyageurs se déplacent dans la blancheur complète du monde, sous le firmament bleu.

Les engagés sont recrutés pour leur robustesse physique dans les vieilles paroisses du Québec. Ces gaillards travaillent à enrichir leurs *bourgeois*, les actionnaires de la puissante Compagnie du Nord-Ouest, des Écossais pour la plupart. Le roman de Desrosiers abonde en descriptions de toutes sortes (sites, outils, costumes, bêtes, paysages), mais ces éléments documentaires sont soigneusement reliés au rythme rapide de la narration. L'auteur démystifie la légende en poursuivant du même souffle deux projets difficiles à concilier: rappeler la découverte du continent en des accents épiques et montrer la double spoliation des engagés et des tribus indiennes que ceux-ci contribuent à subjuguer. Ainsi, le récit se déroule simultanément à deux points de vue: l'un naïf, portant le regard poétique et la conscience morale; l'autre cynique, portant l'analyse psychologique et la logique économique.

Cette dualité est illustrée par deux héros antagonistes. L'un cache une âme intacte et un cœur sensible sous un corps d'athlète: c'est Louison Turenne, champion de la justice et défenseur des opprimés; l'autre a un esprit rusé au service d'une ambition sans scrupules: c'est Nicolas Montour, instrument docile d'un mercantilisme amoral. En dépit d'un physique ingrat, Montour finit par accéder au statut de *bourgeois* quand il achète une part de la Compagnie au terme d'une épreuve de force où tous les coups sont permis; sa victoire consacre la défaite de la mentalité rustique de ses compagnons, «(...) des cœurs candides et frustes, des crédulités parfaites, des hommes enfin qui, pour la plupart, n'ont pas une goutte de défiance dans le système.» Le récit enseigne la supériorité de la duplicité et de l'impudence sur la sincérité et la force désintéressée. Telle est la leçon de la lutte de Turenne et de Montour. Ce débat s'inscrit dans la dialectique ancienne de l'habitant et du coureur de bois, de l'homme des liens sociaux contre l'homme des territoires vierges. Une symbolique archaïque travaille en profondeur la limpidité apparente de ce couple de forces.

Les Engagés du Grand Portage font revivre une aventure qui fut autrefois celle de la découverte et de l'exploration de l'Amérique française, mais, à l'époque où se situe l'action du roman, les descendants des découvreurs sont devenus les serviteurs des *bourgeois* anglophones. L'ascension sociale de Nicolas Montour n'est pas présentée comme la revanche du Canadien sur la commune humiliation des siens, mais comme le prix de la trahison quotidienne des valeurs les plus sacrées. Romancier de l'espace, Desrosiers confirme le message des romanciers du territoire, tels Ringuet et Savard, qui parlaient de dépossession.

Depuis toujours, c'est-à-dire depuis Rabelais et Cervantes, les romans sont faits de mots bien plus que d'actions idéales. Chaque mot d'un roman renvoie le lecteur à des courants littéraires, à des filiations mythiques, à des textes sacrés. La bibliothèque, plus que les faits et gestes d'une quelconque aventure, féconde l'écriture des romanciers. Cela reste vrai des auteurs québécois comme des autres. Déjà, Félix-Antoine Savard faisait naître Menaud de pages entières de *Maria Chapdelaine*. Les livres engendrent les livres. Rien de neuf sous ce rapport, mais la chose est plus ouvertement déclarée, plus consciente et, surtout, elle donne lieu à des procédés de plus en plus raffinés à mesure que l'on se rapproche de l'époque contemporaine. Chez André Langevin ou Gabrielle Roy, la France n'est pas dans l'histoire racontée mais dans le code romanesque: Alain Dubois (*Poussière sur la ville*, 1953) ou Alexandre Chenevert (1955) ressemblent aux héros des romans français d'après-guerre projetés dans l'espace socioculturel québécois de la même époque. Si ces romanciers témoignent encore d'une Amérique française, c'est une Amérique selon Camus ou Saint-Exupéry: le territoire ancestral a fait place à l'espace de la recherche de soi et les thèmes de la solitude et de l'aliénation remplacent le souvenir d'un royaume mythique.

Le roman québécois contemporain n'en finit plus de chercher et d'exorciser ses origines, d'invoquer et de révoquer ses premiers dieux, mais il est important de remarquer que la fiction romanesque ne se laisse plus réduire à une idéologie, non plus qu'à sa critique: c'est avant tout un espace textuel qui s'y déploie. Parlant de ce qu'il appelle le «roman de la parole ambiguë», Laurent Mailhot l'explique fort bien:

> Le roman québécois vit de l'ambiguïté, de la précarité du pays lui-même, «incertain», «équivoque», «invisible» (non pas transparent), «démanché». (...) Il a *ses* langages et récuse tout discours univoque. Son utopie n'est pas l'indépendance politique, ni le socialisme marxiste, ni une religion orientale, mais l'insertion actuelle, textuelle, dans le présent, le voisin, l'immédiat. (...) Le pays est «à venir», à «faire venir», comme l'écriture, mais *ailleurs*. Le Québec n'est pas donné, il n'est pas là. Il n'est pas une donnée objective de l'Histoire, mais un objectif à viser, à déplacer. Le Québec est la figure essentielle, l'espace ouvert du roman québécois[2].

Un retournement spectaculaire se produit par conséquent dans la problématique spatiale qui nous intéresse: l'objet du récit passe de l'aire géographique à l'espace imaginaire. Christophe Ulric, héros du premier roman (1976) d'Yvon Rivard, est littéralement tiré des rayons de sa bibliothèque: «En attendant le début d'une histoire qu'ils connaissent déjà, les livres, serrés les uns contre les autres et feutrant de leurs reliures l'espace de la chambre, ressassent des souvenirs, toujours les mêmes, (...) l'impossible retour des voyages qui n'ont pas eu lieu.» Et dans *Volkswagen Blues* (1984) de Jacques Poulin, le héros relit les archives des trois Amériques (amérindienne, québécoise et états-unienne) avant de se lancer dans un parcours à la fois géographique, anthropologique et moral. Nous reviendrons à ce roman de Poulin, mais il faut d'abord parler de Jacques Ferron, sans doute le romancier québécois dont l'œuvre répond le mieux à l'idée de cartographie mythique. Ferron a décrit toutes les provinces intérieures du Québec profond, mais il y a introduit une perspective qui fait jouer à fond l'espace du monde extérieur, comme le laissent clairement entendre certains titres de ses romans (*Le Salut de l'Irlande*, 1970; *Le Saint-Élias*[3], 1972). Mais il n'y a pas de plus bel exemple que *L'Amélanchier* (1970) quant à l'ouverture du roman québécois sur le monde imaginaire. Chez Jacques Ferron, le récit convoque un vaste répertoire tant littéraire que dérivé de la tradition orale: «Parle-moi encore du comté de Maskinongé, de ton père le roi des sorciers, du lignage des de Portanqueu, du commencement du monde.»

Au prix d'une joyeuse liberté et d'une véritable érudition, Jacques Ferron réussit dans *L'Amélanchier* à tracer la frontière de deux domaines exclusifs: les fantasmes de la petite enfance et l'identité de l'âge adulte, celle-ci non moins mythique que ceux-là et tous également menacés par l'«abîme du rêve». Il s'agit d'un conte sur la mémoire et sur la folie, sur la nécessité et le danger de «partag(er) le monde en deux unités franches et distinctes qui figur(ai)ent le bon et le mauvais côté des choses». Il y a un secret dans cette fable à la fois magique et désenchantée. Tout repose ici sur la nature de ce qui ne peut pas être divulgué. Et la merveille est pourtant que le récit parvienne à tirer le fil d'une histoire qui scintille de tous les feux du mystère sans entamer le moindrement sa fascination. Entre le lac Saint-Pierre et la mer des Tranquillités, n'est-ce pas le pays lui-même que le lecteur est appelé à reconnaître, autrement dit le comté de Maskinongé? Car, chez Jacques Ferron, la petite et la grande histoire, le jardin familial et la patrie des dieux forment un tout. Le proche et le lointain connaissent enfin le secret de leur rapport intime.

> Un pays, c'est plus qu'un pays et beaucoup moins, c'est le secret de la première enfance; une longue peine antérieure y reprend souffle, l'effort collectif s'y regroupe dans un frêle individu; il est l'âge d'or abîmé qui porte tous les autres, dont l'oubli hante la mémoire et la façonne de l'intérieur de sorte que, par la suite, sans qu'on ait à se le rappeler, on se souvient par cet âge oublié.

Depuis 1980, la Californie, à elle seule, sert de décor à plusieurs romans québécois: mentionnons *La Première Personne* (1980) de Pierre Turgeon, *Une histoire américaine* (1986) de Jacques Godbout, *Copies conformes* (1989) de Monique LaRue. Des épisodes importants du *Voyageur distrait* (1981) de Gilles Archambault et de *Volkswagen Blues* (1984) de Jacques Poulin se déroulent à San Francisco. Les héros du *Premier Mouvement* (1987) de Jacques Marchand et de *Vendredi-Friday* (1988) d'Alain Poissant roulent vers la Floride. Toutes ces œuvres épousent le rythme d'une lente dérive intérieure, mais l'inquiétude qui les nourrit porte aussi la trace d'un rêve qui ne se limite pas aux frontières du pays: il embrasse la démesure de l'Amérique, sinon la grandeur du monde. Les héros de ces aventures présentent certains traits communs: un homme d'âge mûr, souvent écrivain, plus ou moins désabusé de sa vie et de son œuvre, part à la recherche du vieux mirage par lequel, autrefois, tout a commencé pour les découvreurs du Nouveau Monde. Pourquoi la côte Ouest fascine-t-elle, sinon parce qu'elle permet à chacun d'y devenir autre et d'éprouver ainsi sa propre identité à la fois comme sienne et comme étrangère? N'est-ce pas la leçon de tout voyage? Grégory Francœur, dans *Une histoire américaine* (1986) de Jacques Godbout, se demande, quant à lui:

Se peut-il qu'une culture engendre des processus chimiques irréversibles? Que l'on soit, sans l'avoir voulu, un catalyseur? Dès les premières heures, dans ce pays excessif, je perçus des rapports improbables entre le passé et l'avenir, par-delà les océans. Une musique qui n'avait plus aucune logique, une harmonie surnaturelle. Étrange Californie!

Parfois le Nouveau Monde reprend les traits fabuleux de la route de l'or et des épices, comme chez Louis Gauthier (*Souvenir du San Chiquita*, 1978), ou les couleurs de l'Orient, comme dans *Voyage en Irlande avec un parapluie* (1984) et *Le Pont de Londres* (1988) du même Gauthier, ou *Les Silences du corbeau* (1986) d'Yvon Rivard. Dans ces romans, le récit se construit par le dialogue de plusieurs voix, le croisement des cultures, l'enchevêtrement de signes provenant de différents systèmes de référence. Échangeur de discours, télescopage de faits et d'actions, montage de paroles et de textes, kaléidoscope d'effets de réel, le roman québécois de l'espace ne consent plus au récit d'une histoire qu'à son corps défendant, en extrayant son sujet d'un écheveau d'histoires, au carrefour d'innombrables destins: «Il avait l'impression de s'avancer dans une forêt de signes, comme un automate», écrit le narrateur d'*Une histoire américaine*. Mettant à contribution les stratégies narratives les plus modernes (d'aucuns diront postmodernes), ces textes ne sacrifient pourtant rien de leur lisibilité. D'autres romans présentent les mêmes caractéristiques mais dans une recherche d'écriture plus expérimentale. *La Québécoite* (1983), de Régine Robin, *L'Hiver de Mira Christophe* (1986), de Pierre Nepveu, *Toute la terre à dévorer* (1987), d'André Vachon, sont des romans qui sollicitent la participation du lecteur, lui demandent un véritable travail de décodage, mais ces textes exigeants offrent en retour une richesse de signification qui en vaut l'investissement.

Volkswagen Blues est un des romans les plus représentatifs de cet élargissement à la fois thématique et formel, que plusieurs critiques tiennent pour une caractéristique essentielle du roman québécois actuel. Mieux que tout commentaire, le roman de Jacques Poulin énonce lui-même son propre code:

> Un livre n'est jamais complet en lui-même; si on veut le comprendre, il faut le mettre en rapport avec d'autres livres, non seulement avec les livres du même auteur, mais avec des livres écrits par d'autres personnes. Ce que l'on croit être un livre n'est la plupart du temps qu'une partie d'un autre livre plus vaste auquel plusieurs auteurs ont collaboré sans le savoir.

Jack Waterman, le héros de *Volkswagen Blues*, traverse l'Amérique en minibus Volkswagen à la recherche de son frère Théo, un aventurier parti sur la côte Ouest des États-Unis dans les années 60. De Gaspé à San Francisco, le voyage suit patiemment les étapes d'une enquête qui piétine, conduite par Jack Waterman et la Grande Sauterelle, une jeune métisse prise en auto-stop et qui agit à titre de copilote, mécanicienne et surtout âme sœur. Jack est un romancier en panne entre deux romans: «(...) l'écriture était pour lui non pas un moyen d'expression ou de communication, mais plutôt une forme d'exploration.» Même si Jack n'est pas le narrateur du récit (écrit à la troisième personne), le roman ne se prive pas d'illustrer sa conception de l'écriture, et ce, à plusieurs niveaux, puisque les traces de Théo ont tôt fait de recouper l'itinéraire des anciens explorateurs français, puis celui des immigrants du siècle dernier partis à la conquête de l'Ouest. *Volkswagen Blues* est un roman-exploration qui remonte aux sources multiculturelles de l'Amérique, sous la sédimentation historique de deux colonisations européennes en concurrence (française et anglaise) qui ont fait peu de cas, l'une et l'autre, de la présence amérindienne.

Tout en compilant les archives historiques du Nouveau Monde (Jack et la Grande Sauterelle sont de grands lecteurs qui visitent consciencieusement musées et bibliothèques), ces touristes motorisés ne négligent rien du visage le plus actuel de l'Amérique *made in USA*. Paysages, villes et gens sont interprétés à grand renfort de livres et de cartes. Le roman devient ainsi le révélateur des signes enfouis, des indices cachés, des traces recouvertes. Mais le visage de Théo échappe ultimement à la reconnaissance de son frère: Jack découvre à San Francisco un infirme, phalène qui a brûlé ses ailes aux réflecteurs de la *beat generation*, vagabond de la contre-culture mêlé aux vedettes de *City Lights* sur une photographie célèbre qui le désigne comme «unidentified man». Ce décryptage est-il autre chose qu'une allégorie de l'Amérique?

Maintenant que les Québécois vont régulièrement en Californie et qu'ils ont appris à y reconnaître le dernier avatar du rêve américain, on peut mieux comprendre l'objet de cette fascination dans les romans: «Je n'avais jamais eu le sentiment d'être chez moi en Californie. Mais j'avais cru, naïvement, que ce déplacement me révélerait le sens de ma vie. L'anglais, le climat, la proximité de Hollywood: j'avais cru à la magie du lieu, au miracle du voyage.» Dans *Copies conformes* (1989) de Monique LaRue, la Québécoise Claire Dubé, pourtant femme fidèle et mère exemplaire, vit une brève aventure extraconjugale dans une atmosphère de *thriller* qui emprunte ses principaux éléments au *Faucon maltais* (1930) de Dashiell Hammett. Dans ce croisement intertextuel, San Francisco n'est pas seulement la ville qui a placé la contre-culture sur orbite vers 1960: c'est un espace imaginaire.

Si l'on s'efforce d'embrasser l'ensemble des poursuites à travers l'espace qu'offre la cartographie du roman québécois contemporain, on obtient l'image du microcosme caché sous le tracé d'un parcours aux dimensions gigantesques:

> Un homme — dit Borges — se propose la tâche de dessiner le monde. Au long des années, il peuple un espace d'images de provinces, de royaumes, de montagnes, de baies, de navires, d'îles, de poissons, de demeures, d'instruments, d'astres, de chevaux et de personnes. Peu avant sa mort, il découvre que ce patient labyrinthe de lignes trace l'image de son visage[4].

Telle est peut-être la version moderne de la vieille complainte du «Canadien errant, banni de ses foyers»...

NOTES

[1] Bien que publié en 1979 aux Éditions A. Stanké, ce roman a été écrit en 1955, selon le témoignage de l'auteur. Voir *Yves Thériault se raconte. Entretiens avec André Carpentier*, Montréal, VLB éditeur, 1985, p. 148.

[2] «Le roman québécois et ses langages», *Stanford French Review*, 1980, p. 169-170.

[3] C'est le nom d'un bateau qui sillonne toutes les mers à partir de la petite rivière Batiscan.

[4] Cité par Miguel Enquivados, «Le caractère argentin de Borges», *Cahiers de l'Herne*, Éditions de L'Herne, 1981, p. 105.

CHAPITRE 4

Les mots et les choses

> Mais tandis qu'elle gémissait, la main
> sur la bouche, il étouffait ses cris en lui
> mordant le gras du cou.
>
> André Major, *Le Vent du diable*

Les doctrines du XIXe siècle, qui ont présidé à la naissance du roman québécois, ont beaucoup ralenti le rythme de son évolution. Il faudra donc un certain temps avant que la réalité du XXe siècle y soit reflétée d'une façon convenable. La modernisation tardive de la société québécoise n'en est pas la raison. Est-il même certain que l'obscurantisme religieux suffise à l'expliquer? L'histoire sociale et économique nous apprend que des transformations profondes ont modifié l'ordre traditionnel bien avant que nos lettres en accusent les effets. Le retard des romanciers québécois à la veille de la Deuxième Guerre mondiale est double: non seulement ont-ils largement ignoré l'industrialisation et l'urbanisation — deux phénomènes pourtant anciens —, mais ils se sont aussi coupés des grandes orientations du roman moderne, tel qu'il s'écrivait à l'étranger avec Kafka, Proust, Musil ou Faulkner.

Pour mesurer cet écart, le réalisme peut servir de point de repère utile, car il représente la maturité du roman français, atteinte vers le milieu du XIXe siècle chez Balzac, Flaubert, Maupassant ou Zola. Le critique Gilles Marcotte situe la phase correspondante, au Québec, à peu près un siècle plus tard: «Le réalisme (...) dans le roman québécois (...) naît en 1938, avec *Trente Arpents* de Ringuet, et disparaît au début des années cinquante, sans succession[1].» Peut-on lire les écrivains d'ici sans tenir compte de l'évolution du genre qu'ils pratiquent? L'importance de la question du réalisme réside dans le problème du rapport avec l'histoire. À la veille et au lendemain de la Deuxième Guerre mondiale, Ringuet, Roger Lemelin et Gabrielle Roy liquident les mythes du roman du terroir et préparent les conditions d'une véritable crise d'identité collective. Cette courte floraison du réalisme annonce peut-être la condamnation prochaine de tout ce qui avait tenu lieu de sens historique aux Canadiens français. Vingt ans plus tard, la Révolution tranquille va éclater et le narrateur du *Cassé* (1964), de Jacques Renaud, pourra écrire: «On n'a pas, tous, les loisirs nécessaires pour nager en pleine métaphysique.»

Ce chapitre décrit la tension fondamentale qui traverse tout le roman québécois contemporain, partagé entre la volonté de nommer une réalité spécifique et le besoin d'assumer une nouvelle liberté d'écrire. Deux courants résultent de cette double aspiration: le roman de l'échec historique et le roman de l'aventure du langage. Ce dilemme entre les mots et les choses se présente comme autant de voies médianes entre deux extrêmes. Pour la commodité de l'exposé, nous diviserons les données du problème en quatre temps: la dépossession du sol; l'ombre des choses; l'aliénation des mots; la noirceur de l'histoire ou la nuit du récit.

La dépossession du sol

> Nous sommes venus il y a trois cents ans et nous
> sommes restés... Autour de nous des étrangers sont
> venus qu'il nous plaît d'appeler des barbares! ils ont
> pris presque tout le pouvoir! Ils ont acquis presque
> tout l'argent...
>
> Louis Hémon, *Maria Chapdelaine*

Deux romans marquants paraissent successive-
ment en 1937 et 1938: *Menaud, maître-draveur* de
Félix-Antoine Savard et *Trente Arpents* de Ringuet.
Le premier est une épopée rustique, presque une
chanson de geste, alors que le second brosse un
tableau réaliste de la paysannerie canadienne-
française. On ne saurait concevoir deux livres plus
différents, mais ils ont, en commun, de parler de
déracinement et de constituer, chacun à sa façon,
l'épilogue du roman de la terre. *Menaud, maître-
draveur* est tourné vers les mots et *Trente Arpents* est
rempli par les choses. Cela est manifeste dès les
premières lignes de chaque œuvre. *Menaud, maître-
draveur* commence dans l'écoute fervente des voix
du pays de *Maria Chapdelaine* («Nous sommes venus
(...)»), tandis que la diction pesante d'Euchariste
Moisan ouvre le récit de *Trente Arpents*: «— On va
commencer betôt les guérets, m'sieu Branchaud.» Le
héros de Savard accède à la vérité de son personnage
par les mots du Livre (le roman de Louis Hémon
devenant texte sacré). Le héros de Ringuet surgit dans
la parole rocailleuse de sa condition d'enfant de la
terre. La croisée des chemins ne peut pas être plus
claire.

Dans les deux cas, l'incipit est remarquable et
l'attaque est directe: pas d'exposition proprement
dite, pas de présentation dans les formes, plutôt
l'irruption immédiate du personnage. On ne sait pas
encore qui est Menaud lorsqu'on lit la première
phrase qui précise qu'il «était assis à sa fenêtre et
replié sur lui-même», écoutant la lecture d'une page
entière de *Maria Chapdelaine* dont certaines phrases
reviendront sans cesse attiser sa méditation. Les mots

quasi religieux du livre de Louis Hémon imposent la présence de Menaud dans la posture de l'auditeur. Revenons au début du roman de Ringuet: Eucharriste Moisan a prononcé une phrase comme on jette une amorce dans le silence, où retombe chaque réplique de la conversation de deux paysans: «Les deux hommes se turent.» Ce mutisme est aussitôt suivi de la description du paysage, qui contient ces causeurs réticents, assis sur la véranda et fumant leur pipe. Entre les relais du discours narratif, le dialogue s'étire au compte-gouttes: «Ils parlaient lentement et peu, à leur accoutumée, étant paysans donc chiches de paroles.»

En réalité, cette rareté de parole est d'une extrême importance: une négociation s'y déroule sous le couvert du truisme. Eucharriste se prépare à demander la main de la fille de son voisin Branchaud. La banalité des propos n'est qu'apparente et cache la ruse des interlocuteurs qui s'étudient, se connaissent, s'entendent à demi-mot et se voient venir. Il s'agit d'un trait finement observé de la sociabilité paysanne et l'art du romancier consiste à mettre à profit les silences, à faire parler les non-dits, à souligner les temps morts. La parole réservée des personnages n'est pas porteuse de sens en elle-même, malgré tout le soin apporté à la rédaction des dialogues. Dans *Trente Arpents*, une autre réalité précède toujours les mots; le roman de Ringuet reproduit une culture globale, celle du monde rural, où les individus n'ont de place et d'existence qu'en fonction des dures exigences de l'exploitation agricole: «(...) la norme (...) est le travail manuel, le contact avec le sol âpre où tous les gestes ont un sens dont l'utile s'impose parce qu'ils sont eux-mêmes commandés par les *choses*.» Le drame de Menaud n'est pas déclenché par ces «choses»-là: «(...) il avait demandé un petit bout de lecture, dans l'espoir d'un apaisement par les mots du livre qu'il trouvait calmes et semblables à des oiseaux sur lesquels s'envole parfois le songe d'un beau voyage.» Autant l'univers de *Trente Arpents* est ruiné dans son attachement à la terre, autant le langage de *Menaud* est ébranlé dans sa structure symbolique.

Le mot le plus important de *Trente Arpents* est le mot «chose» non seulement par sa fréquence, mais surtout par le sens que la narration lui donne. Tout le drame est contenu dans la redondance des expressions qui font de la terre ancestrale le fondement absolu de la vie des Moisan: «l'inéluctable mystère des choses», «son autorité sur les choses et sur les bêtes», «les choses de la vie», «son pouvoir sur les choses de l'oncle Éphrem», «l'état des choses éternel et fatal», «le langage des choses», etc. Lorsque Euchariste reçoit en donation la terre de l'oncle Éphrem, au début du récit, il prend aussitôt conscience de l'étendue du pouvoir que recouvre ce mot considérable: le rythme des saisons, les travaux et les jours, les naissances et les morts, les semailles et les moissons, tout cela se concentre dans la réitération du mot le plus banal de la langue française.

> C'est lui qui désormais déciderait que tel champ serait emblavé, tel autre laissé en pacage pour les bestiaux; le foin serait coupé et vendu à son prix. Tout dépendrait de lui. Et toutes les *choses* de la terre et lui-même ne dépendraient plus de rien que de la terre même et du soleil et de la pluie.

Devenu père de famille, Euchariste a des enfants d'âge scolaire. Voici un dernier exemple pour illustrer la portée de ce mot clé:

> Mais leur grande éducatrice était la nature et c'est des *choses* plus que des hommes qu'ils apprenaient tout ce qu'ils avaient besoin de savoir du monde où ils vivaient. (...) Soumis aux *choses*, (Étienne) était un vrai paysan pour qui de plus en plus la terre était tout, plus que les siens, plus que soi-même.

L'histoire d'Euchariste Moisan s'étend sur une quarantaine d'années, approximativement entre 1880 et 1920. Sa vie suit une double courbe, d'abord ascendante, puis descendante. Après qu'il se fut assuré d'une fortune respectable et d'une postérité nombreuse, une suite de malheurs s'abat sur lui et l'oblige à finir ses jours exilé à White Falls, en

Nouvelle-Angleterre, dans une déchéance pitoyable. C'est la récusation la plus complète de la tradition du terroir depuis *La Scouine* (1918) d'Albert Laberge.

La fin de *Menaud, maître-draveur* n'est pas moins désastreuse. En revanche, la défaite se joue sur un autre plan puisqu'elle découle d'une impuissance de la parole et qu'elle se traduit par l'égarement du héros: «Des fois, il se levait la nuit, passait des heures à jargonner, comme s'il eût fait un complot avec les morts (...)» Après avoir vainement tenté de rallier les siens à sa révolte contre la mainmise des compagnies étrangères sur la forêt ancestrale, Menaud passe une dernière nuit à errer dans la montagne, où on le retrouve épuisé et délirant. Un témoin conclut prophétiquement: «C'est pas une folie comme une autre! Ça me dit, à moi, que c'est un avertissement.»

L'ombre des choses

Bonheur d'occasion (1945), de Gabrielle Roy, développe une grande métaphore, celle de l'ombre, et toute la composition semble placée sous le signe des ténèbres: «Très bas dans le ciel, des nuées sombres annonçaient l'orage.» Cette phrase est la dernière du roman, qui raconte les tribulations de la famille Lacasse, comme *Trente Arpents* disait les malheurs des Moisan. Dans le quartier pauvre de Saint-Henri, à Montréal, au moment où le Canada s'engage dans la Deuxième Guerre mondiale, Florentine Lacasse, une petite serveuse de restaurant, rencontre Jean Lévesque, jeune ouvrier solitaire et ambitieux. L'intrigue est centrée sur la mésaventure de Florentine, éprise de ce Jean Lévesque qui l'abandonne après une brève liaison. Mais la jeune fille découvre qu'elle est enceinte et sauve sa réputation par un mariage de raison, en acceptant l'amour d'Emmanuel Létourneau, jeune bourgeois idéaliste qui part se battre en Europe par générosité.

La nuit pénètre de toutes parts le monde crépusculaire de *Bonheur d'occasion*. Tous les personnages sont montrés dans cet obscurcissement dont le récit ne les fait sortir que pour les y replonger plus profondément: «On entendit Alphonse ricaner, puis il continua, sa voix molle montant dans l'ombre, comme une partie de l'ombre, comme l'expression de l'ombre.» Pour d'autres personnages, ce jour sinistre se confond ironiquement avec l'espoir que fait miroiter la guerre, mais la plupart traînent déjà leur malheur comme une fatalité sans appel.

Chaque printemps, la mère de Florentine, Rose-Anna, parcourt les rues du quartier, le pas alourdi par sa grossesse annuelle, en quête d'un nouveau logis pour sa famille qui grandit: «Elle s'arrêta à une réflexion amère; plus la famille avait été nombreuse, plus leur logement était devenu étroit et sombre.» Même sous l'éclairage cru du magasin à rayons où elle passe saluer Florentine, la pauvre femme n'en accuse que plus visiblement la couleur terne de son existence:

> Rose-Anna n'avait peut-être qu'à paraître dans cette lumière abondante du bazar, dans ses vêtements de ville, elle n'avait peut-être qu'à sortir de la pénombre où elle s'était retranchée depuis tant d'années pour que Florentine la vît enfin (...) elle apercevait la vie de sa mère comme un long voyage gris, terne, que jamais, elle, Florentine, n'accomplirait...

Le destin de Florentine est habilement placé à un carrefour aux ramifications complexes: de la misère sociale du quartier à la détresse morale de la famille, et de la fébrilité montréalaise à la fureur du monde en guerre, tous les espaces coordonnés par la narration sont violemment contrastés sous un même inquiétant éclairage. L'ombre maléfique qui surplombe l'univers de *Bonheur d'occasion* revêt plusieurs formes: la pollution industrielle d'un quartier ouvrier, ses rues sinistres à la nuit tombée, l'exiguïté d'un taudis mal éclairé et surtout l'immense souffrance humaine qui semble s'étendre à la grandeur du monde en ce printemps de 1941. Emmanuel, qui porte bien son nom, rêve de rédemption universelle en méditant sur le sort de l'humanité: «Il se demandait si une nuit, longtemps avant la guerre, n'avait point commencé à encercler la terre de ses ténèbres. D'où viendrait la clarté qui guiderait le monde?»

Bonheur d'occasion transpose le langage des choses dans le domaine romanesque des relations familiales et sociales, guerrières et amoureuses. L'intérêt porté à Jean Lévesque par Florentine est la moins sublimée des évasions, car l'amour de la jeune fille passe par le regard de la pauvreté. Florentine est séduite par l'urgence du départ et l'appel du changement chez celui qui disparaît, qui s'en va. Et tout le monde est en instance de départ dans ce roman où la guerre a tout remis en jeu: Jean Lévesque trouve l'emploi qu'il espère et sort du champ narratif, Azarius (le père de Florentine), Eugène (son frère) et Emmanuel (son mari) vont au combat. Vingt ans plus tard, le romancier André Major, décrivant un milieu semblable, écrira dans *La Chair de poule*: «Le pauvre (...) désire (...) avoir le temps de vivre. Sa vie n'est qu'un stérile combat pour posséder les choses. Et c'est ça, moi, qui me tracasse. Ce combat du pauvre. La façon d'en sortir. De trouver une dignité.»

Cette absence de lumière, voici qu'elle s'épaissit dans d'autres romans inspirés par le réalisme social. Excepté *Alexandre Chenevert* (1954) de Gabrielle Roy et *La Bagarre* (1958) de Gérard Bessette, il y a encore quelques romans de la même veine dus à des auteurs moins connus: *Neuf Jours de haine* (1948) et *Le Feu dans l'amiante* (1956) de Jean-Jules Richard, *Au milieu, la montagne* (1951) de Roger Viau, *Les Vivants, les Morts et les Autres* (1959) de Pierre Gélinas. La réalité urbaine occupe la première place dans ces fictions qui brossent un tableau sombre sur fond de chômage endémique ou de travail misérable, de logements insalubres et de maigre pitance. Promiscuité familiale et destins sacrifiés: tel est le lot des paysans de naguère, massivement attirés vers les villes par les transformations de l'économie. Le réalisme québécois a créé là une métaphore romanesque, celle de l'ombre des choses, pour traduire le souvenir pénible d'une période historique qu'on nomme d'ailleurs «la grande noirceur».

Les Vivants, les Morts et les Autres (1959)[2], de Pierre Gélinas, brossent une fresque d'époque dont le projet est peut-être unique dans le roman québécois. L'intrigue commence par une mutinerie dans un chantier de bûcherons de la Windigo, en Haute-Mauricie, et se termine par une grève ouvrière dans une usine textile d'Hochelaga. Entre les deux événements, le récit embrasse l'Histoire, mais au ras du menu peuple qui aspire à la faire au lieu de la subir. L'agitation semi-clandestine des militants communistes autour des premières organisations du syndicalisme catholique, la chasse aux sorcières des politiciens, la grève chez Dupuis Frères, le Congrès pour la paix à Toronto, l'émeute au Forum de Montréal après la suspension de Maurice Richard, l'utopie laïque de la lutte des classes relayant l'espoir du vieux messianisme et la dislocation des relations humaines dans l'effritement du tissu urbain, Pierre Gélinas analyse les enjeux d'une époque charnière, complétant par la critique idéologique le réalisme humanitaire de *Bonheur d'occasion*.

Notons ici une autre différence (en plus du décalage chronologique) entre le réalisme du roman français et celui du roman québécois: alors que le premier assume la plénitude de ses moyens techniques et affirme sa modernité, le second témoigne plutôt d'une épreuve critique sur le chemin de la maturité artistique et d'un effort de rattraper les enjeux du présent. Tout a peut-être commencé par ce que l'essayiste Pierre Nepveu appelle la découverte d'«un trou dans notre monde», expression empruntée au poète Hector de Saint-Denys Garneau[3], le doute et l'interrogation commençant à remplacer la culture monolithique de jadis. André Langevin (*Poussière sur la ville*, 1953; *Le Temps des hommes*, 1956) et Gérard Bessette (*La Bagarre*, 1958; *Le Libraire*, 1960; *Les Pédagogues*, 1961) sauront tirer de cette angoisse des romans remarquables et ouvrir des pistes inédites à la réflexion.

Le réalisme romanesque de *Bonheur d'occasion* était une littérature de constat. Il en sortira bientôt une littérature de combat, antiromanesque et moins soucieuse de réalisme qu'assoiffée de vérité et de justice. Il ne suffira plus de décrire, de raconter, de plier les mots à l'expression des choses; renversant le rapport, le roman québécois fera le procès du monde bourgeois dans les mots de ceux qui en sont les victimes, qui ont été dépossédés de tout et même des mots. Le héros de cette épopée de la défaite sera le chômeur, paria de la société de consommation, qui s'accroche au peu qui lui reste d'une langue à moitié amputée; sa frustration n'en criera que plus fort. Cette langue de la révolte n'a pas de nom avouable; on l'appelle le joual, déformation populaire, comme chacun sait, du mot «cheval». Le mot «joual» est dû au romancier et polémiste Claude-Henri Grignon, qui l'emploie pour la première fois en mai 1938 dans *Les Pamphlets de Valdombre*. Le mot sera repris par le journaliste André Laurendeau (vers 1960) et surtout par le frère Untel, pseudonyme de l'essayiste Jean-Paul Desbiens (*Les Insolences du frère Untel*, 1960), à propos de la langue des écoliers québécois.

L'aliénation des mots

Y a pas de phrases clés. Y a des clés tout court. Clés de prison. Clés de caisse. Clés de ma chambre. Y a pas de mots clés.

Jacques Renaud, *Le Cassé*

Jusqu'au début des années 60 (*L'Argent est odeur de nuit* de Jean Filiatrault, 1961), le réalisme cotinue à nourrir l'imagination romanesque, mais le misérabilisme de la littérature jouale ne tarde pas à prendre le relais. Le virage est marqué par la recherche d'un nouveau rapport avec l'histoire et les romanciers québécois de cette période contournent la question du réalisme. Chez André Major (*Le Cabochon*, 1964), Jacques Renaud (*Le Cassé*, 1964), Laurent Girouard (*La Ville inhumaine*, 1964) ou Claude Jasmin (*Éthel et le terroriste*, 1964; *Pleure pas Germaine*, 1965), le joual ne parvient pas à s'imposer comme l'expression suffisante de la réalité québécoise, mais il introduit dans le roman les thèses politiques chères aux écrivains publiés par les Éditions Parti pris. Quant à Marie-Claire Blais, Jacques Godbout, Hubert Aquin et Réjean Ducharme, leur art souligne plutôt le divorce entre les mots et les choses.

La dualité observée plus tôt chez Savard et Ringuet ne perd rien de son acuité. La situation a pourtant changé depuis Menaud et Euchariste: nous sommes maintenant au milieu des années 60. Deux nouveaux facteurs interviennent dans les romans contemporains de la Révolution tranquille: d'une part, le renouvellement idéologique (la revue *Parti pris*, la radicalisation du discours politique, l'indépendantisme); d'autre part, la subversion de l'écriture (le recours à la langue parlée, l'intertextualité, l'éclatement des formes, la composition baroque). Les deux phénomènes sont simultanés, mais ne vont pas dans le même sens; ils conduisent même à des stratégies difficilement compatibles. Le néonationalisme traduit le désir de transformer l'ordre des choses, alors que le «plaisir du texte[4]» invite à la dérive des mots et à l'autoaffirmation du sujet. L'issue du dilemme emprunte deux voies divergentes: d'un côté, le thème du pays, c'est-à-dire quelque chose qui n'existe pas, sinon comme un projet collectif qui mobilise le militantisme; de l'autre côté, la modernité littéraire dans sa version structuraliste, l'autonomie du texte, la subversion des codes. Le tout ne pouvait aboutir qu'au dépassement du réalisme qui tenait au principe esthétique d'une adéquation entre les mots et les choses.

L'intervention du joual est agressive et son impact est spectaculaire, mais il ne faut pas surestimer sa nouveauté. En fait, l'exploitation littéraire de la langue parlée relève d'une tradition depuis Louis Hémon (*Maria Chapdelaine*, 1916), Albert Laberge (*La Scouine*, 1918) et Claude-Henri Grignon (*Un homme et son péché*, 1933), sans parler de Ringuet et de Gabrielle Roy[5]. L'originalité des romanciers du groupe de *Parti pris* n'est pas d'introduire des formes parlées dans l'écriture, ce qui a déjà été fait bien avant eux, mais de transgresser les conventions narratives qui fondent la distinction de l'auteur et du narrateur, et du narrateur par rapport au personnage.

Voyons cela par un exemple: Ti-Jean est le héros du *Cassé* (1964) de Jacques Renaud. Il prémédite un meurtre. Soupçonnant à tort un certain Bouboule d'être son rival auprès de sa maîtresse, Philomène, il refoule d'abord une pulsion meurtrière avant de s'y abandonner:

> Ti-Jean prend son tabac sur la table de grès. Il prend son papier à cigarettes. Il roule. (...) Tabac tassé dans le papier qui se froisse. Coup de langue sur le collant du papier. La plante des pieds lui colle aux fougères fraîches du prélart gris.
>
> Bouboule, toé m'as t'tuer!
>
> Ti-Jean ne chasse plus l'idée. Elle se tient debout dans sa tête.
>
> Chien sale!

Le premier paragraphe de ce passage est écrit à la troisième personne: Ti-Jean est extérieur à la narration dont il est l'objet. Après la fin de ce paragraphe, quand nous lisons l'apostrophe, «Bouboule, toé m'as t'tuer!», le narrateur est fondu dans l'émotion de son personnage. Il n'y a ni guillemets ni tirets pour signaler le changement de voix. L'invective «Chien sale!» relève du même procédé. Tout le récit du *Cassé* oscille ainsi entre la narration «omnisciente» et le monologue intérieur du héros. La langue du narrateur, généralement démarquée de celle de Ti-Jean, reste cependant très proche des moindres réactions du héros et n'hésite pas à emprunter son langage à plusieurs occasions.

La sexualité, tabou de toute éducation catholique, s'exprime avec une crudité sans précédent dans le roman joual. Mais là n'est pas le véritable scandale. L'audace vient plutôt des rapports entre la langue et la littérature dans les conditions particulières qui sont celles du Québec. La meilleure façon de se représenter la force de son impact est celle-ci: le réalisme était un art, un système d'écriture, un code littéraire; le joual se veut l'arme d'une guérilla idéologique en territoire occupé. L'aspect littéraire est provisoirement sacrifié au profit de la conscience militante chez les romanciers qui utilisent le joual. Même s'il dit vouloir agir à l'échelon de la réalité sociale, le roman joual, du seul fait de s'écrire, ne peut s'empêcher de recodifier sur-le-champ ce qu'il s'efforce de décodifier. Paradoxalement, un sentiment de révolte contre les choses va débloquer l'imaginaire des mots et se répercuter sur l'écriture romanesque.

La question du joual est d'abord celle d'une réflexion politique qui recourt à une théorie de la décolonisation. Telle est la justification avouée des écrivains de *Parti pris*, où se rencontrent deux générations: celle de poètes nés vers 1930, comme Gaston Miron et Jacques Brault, et celle des écrivains nés après 1940, comme Paul Chamberland, André Brochu ou André Major. Le joual prétend administrer un traitement de choc au lecteur et le forcer à reconnaître sa propre aliénation, telle qu'elle est reflétée par la mutilation de sa langue. Les objectifs de l'écriture jouale impliquent en effet des procédés qui violentent le code du français écrit: transposition phonétique, lexique et syntaxe aléatoires, le tout se répercutant forcément sur la forme du récit. Or, les écrivains qui adoptent ces pratiques ne prétendent pas imposer le joual comme langue nationale de la nouvelle littérature québécoise; au contraire, ils s'en défendent dans toutes leurs prises de position. Leur démarche vise la réalité, pas la littérature: ils veulent provoquer un mouvement de rejet salutaire et hâter le dépassement de cette langue défigurée et de tout ce qu'elle représente: l'oppression organisée, le bilinguisme, le chômage, l'humiliation, la violence des institutions.

Avec le joual, *Parti pris* s'est dressé contre les *choses* en brandissant les *mots* (et les maux) de la misère. Cela n'a pas changé l'ordre du monde, mais la littérature québécoise, par contre, s'en est trouvée bouleversée. Très rapidement, l'intérêt commercial et le retentissement médiatique du jargon montréalais débordent la littérature pour devenir un phénomène socioculturel. L'effet de mode désamorce la bombe de ce qui se voulait au départ, une forme de terrorisme intellectuel, parallèlement au terrorisme politique du FLQ[6], alors en pleine activité. Cependant, à partir du succès retentissant de la pièce *Les Belles-Sœurs* (1968) de Michel Tremblay, des monologues d'Yvon Deschamps et des chansons de Robert Charlebois, on peut dire que le joual devient la signature de marque d'une certaine «québécitude», souvent dirigée contre la France littéraire et largement récupérée par la culture médiatique. Victor Lévy-Beaulieu, entre autres, s'est longtemps accroché à ce qui lui tient lieu à la fois de pari contre l'écriture et de raison d'écrire. Le roman-fleuve de cet auteur océanique, grand lecteur de Victor Hugo et de Herman Melville, continue de s'imposer au fil des années 70 et 80. Nous entrons là dans un espace aux coordonnées assez confuses. D'ailleurs, la ligne de partage du réel et de l'imaginaire a cessé d'être nette pour tout le monde, dans la foulée de la contre-culture qui balaie le Québec comme tout l'Occident.

La vague de contestation qui s'empare de la jeunesse mondiale vers la fin des années 60 marque l'histoire d'une génération née pendant ou après la guerre. Le Québec vit cette euphorie en même temps que tout le monde et lui fait directement écho dans la poésie et la chanson; le roman est lui aussi touché mais à un degré moindre. Ducharme est encore le meilleur témoin de cette époque. Au début des années 80, Francine Noël en donnera la chronique «refroidie» avec *Maryse* (1983).

La noirceur de l'histoire ou la nuit du récit

L'azur s'écroule, les continents s'abîment: on reste dans le vide, seul. (...) Quand on veut savoir où on est, on se ferme les yeux. On est là où on est quand on a les yeux fermés: on est dans le noir et dans le vide.

Réjean Ducharme, *L'Avalée des avalés*

Dans *Bonheur d'occasion* (1945), Gabrielle Roy proposait la métaphore de l'ombre pour dire l'espoir horrible de la guerre. *Une saison dans la vie d'Emmanuel* (1965), de Marie-Claire Blais, étend cette noirceur au point de vue narratif pour en extraire une lumière visionnaire: «Triste terre! Rentrées des champs par la porte de la cuisine, les Muses aux grosses joues me voilaient le ciel de leur dos noirci par le soleil. Aïe, comme je pleurais, en touchant ma tête chauve (...)» Tout le récit d'*Une saison* est focalisé soit par la naissance des nouveau-nés, soit par la mort prématurée d'enfants voués à la jungle familiale ou à l'enfer du noviciat. Plus que jamais, «le jour est noir[7]» chez Marie-Claire Blais; mais c'est là une impression trompeuse. Si l'on y regarde de plus près, on s'aperçoit qu'*Une saison* n'est ni mélodramatique ni naturaliste, et il y a autant d'humour féroce que de tendresse sans ironie dans les œuvres de Marie-Claire Blais, jusqu'en 1970 environ, année où s'achève le cycle des *Manuscrits de Pauline Archange* (1968-1970). Il n'est plus question, ici, ni de réalisme ni d'aucune thèse. *Une saison* se lit à la fois comme un hommage à la tradition et comme un pamphlet dirigé contre elle; rien ne permet de trancher sereinement dans un sens ou dans un autre. Où sommes-nous au juste? Ni tout à fait dans le monde dont nous parlent les repères de l'histoire, ni complètement hors de lui puisque nous en discernons de larges évocations assez fidèles pour être reconnues. Où sommes-nous donc? Il faudrait peut-être le demander à Bérénice Einberg, l'héroïne de *L'Avalée des avalés* (1966) de Réjean Ducharme: «La vie ne se passe pas sur la terre, mais dans ma tête. Le vie est dans ma tête et ma tête est dans la vie. Je suis englobante et englobée. Je suis l'avalée de l'avalé.»

L'année 1945 avait constitué une date parce que la fin de la Deuxième Guerre mondiale coïncidait avec le renouvellement thématique du roman québécois, qui passait alors de la campagne à la ville. L'année 1966 marquera aussi une étape: cette année-là se produit une percée spectaculaire du Québec sur la scène littéraire française lorsque quatre romanciers québécois publient chacun un roman chez un éditeur parisien et que deux de leurs livres sont en lice pour des prix prestigieux: *Une saison dans la vie d'Emmanuel* (M.-C. Blais, Grasset) remporte le Médicis et *L'Avalée des avalés* (R. Ducharme, Gallimard) passe à côté du Goncourt, tandis que *Prochain Épisode* (H. Aquin, Lafont) et *La Jument des Mongols* (J. Basile, Grasset) sont poliment ou mal reçus par la critique française. La presse fait grand écho de ces événements. Dans les années suivantes, le roman québécois trouvera de plus en plus sa voie dans la transformation consciente du code romanesque et dans l'invention d'un langage qui puise à toutes les sources de la littérature contemporaine, tout en revendiquant haut et fort sa différence.

Le fantastique mêle le ravissement à l'horreur d'une façon hurlante et curieusement feutrée chez Jacques Benoît (*Jos Carbone*, 1967; *Les Princes*, 1974). Après Jacques Ferron et avant Louis Caron, Roch Carrier tire tout un monde de l'oralité populaire. Jacques Poulin construit patiemment une œuvre qui porte sa voix discrète à des niveaux de subtilité et de tendresse, où l'on peut voir peut-être une contre-partie de la verve débridée de Victor Lévy-Beaulieu. Louis Gauthier poursuit dans le silence un récit minimal où le journal de voyage émerge lentement des romans d'imagination. Marie-Claire Blais et Réjean Ducharme réinventent deux versions différentes d'une mémoire collective à la fois profanée et vénérée par l'enfance de héros puissamment individualisés. Anne Hébert remonte aux sources occultes de la tradition dans une langue cruelle et enchantée. Hubert Aquin, pour vouloir tout rassembler, fait plutôt tout éclater: écriture et lecture, texte et hors-texte, réalité et fiction sont chez lui liés par les rapports équivoques de la narration et de l'histoire qu'elle raconte. *Prochain épisode* (1965) en témoigne: «Je m'étends sur la page abrahame et je me couche à plat ventre pour agoniser dans le sang des mots (...) À tous les événements qui se sont déroulés, je cherche une fin logique, sans la trouver! Je brûle d'en finir et d'apposer un point final à mon passé indéfini.» À quoi Yvon Rivard fait peut-être écho dans *L'Ombre et le Double* (1979): «(...) les mots instaurent entre les choses et moi une distance qui les transforme en images. (...) Les choses ne peuvent exister que sous forme d'images, c'est-à-dire projetées par les mots hors de moi.»

NOTES

[1] *Littérature et Circonstances,* Montréal, Éditions de L'Hexagone, 1989, p. 341 («Raconter, qu'est-ce à dire?», note 6).

[2] Montréal, Cercle du livre de France, 1959. Malheureusement, cet excellent roman fut rapidement oublié et n'a pas été réédité.

[3] Pierre Nepveu, *L'Écologie du réel,* Montréal, Éditions du Boréal, 1988, p. 76.

[4] Titre d'un célèbre essai du critique et théoricien français Roland Barthes (Paris, les Éditions du Seuil, 1973).

[5] Voir Lise Gauvin, *«Parti pris» littéraire,* Montréal, Presses de l'Université de Montréal, 1975, p. 56-63.

[6] Front de libération du Québec. L'organisation terroriste recrutait ses adeptes dans un milieu assez proche des romanciers qui ont lancé l'offensive du joual.

[7] Cette expression donne son titre au troisième roman de Marie-Claire Blais, paru en 1962.

CHAPITRE 5

Le même et l'autre

> Il est impossible, je crois, pour le romancier québécois actuel, d'éluder la question nationale.
>
> André Brochu, *L'Instance critique*

Cette phrase est tirée d'un texte publié en 1961. Dans le contexte d'alors, elle énonçait une règle qui souffrait peu d'exceptions. En 1991, le contraire serait plutôt vrai: le romancier québécois actuel ne peut rien éluder, excepté la question nationale. Les trente ans qui nous séparent de cette remarque d'André Brochu indiquent le chemin parcouru depuis le début de la Révolution tranquille.

Ce chapitre traite de ce qui, au cours des trois dernières décennies, a remplacé le plaidoyer du texte national autrefois dominant. Le roman québécois d'avant 1960 ne s'adressait la plupart du temps qu'à ceux qui partageaient les mêmes coutumes et la même origine dans le tout homogène d'une société patriarcale catholique et rurale. Tant que cette société est demeurée repliée sur ses traditions et s'est gardée de véritables contacts avec l'étranger, le problème du rapport avec l'autre ne s'est guère posé. Mais au milieu du XXe siècle, les échanges avec le monde extérieur se sont intensifiés à cause de plusieurs facteurs: les moyens de communication, l'industrialisation, l'urbanisation et l'immigration ont rendu inévitable la révision des valeurs. La réalité du monde moderne, en rompant l'isolement de la culture canadienne-française, a précipité le déclin du nationalisme traditionnel après la Deuxième Guerre mondiale. Parallèlement, le roman québécois a montré une ouverture de plus en plus large sur le monde de sorte que le rapport entre identité et différence y est aujourd'hui problématique, comme dans la plupart des sociétés postindustrielles qui ont subi des transformations semblables sur les plans démographique, économique et social.

Si l'on voulait simplifier, on pourrait distinguer trois étapes dans la découverte du visage de l'autre par le roman québécois; ces étapes correspondent grossièrement aux trois dernières décennies: les années 60 révèlent l'Amérindien (Yves Thériault), les années 70 répandent l'écriture féminine (Nicole Brossard, Yolande Villemaire, Louky Bersianik) et les années 80 introduisent le point de vue des communautés culturelles qui composent la société québécoise moderne. C'est surtout le caractère cosmopolite de Montréal qui inspire la dernière phase à mesure que la métropole accède au statut de personnage dans le roman québécois (chez Laurent Girouard, Jean Basile, Michel Tremblay, Yves Beauchemin, Francine Noël, Régine Robin, André Vachon, etc.). Le roman québécois actuel ne cesse de confirmer la diversification de ses thèmes et de ses formes jusqu'à devenir ce carrefour d'écritures qui alimente une interrogation plurielle au lieu de reposer sur l'affirmation d'une identité.

Du *Survenant* au *Dernier Été des Indiens*

C'est dans *Le Survenant* (1945) de Germaine Guèvremont qu'apparaît l'importance de la figure de l'étranger: pour la première fois, le sens d'un roman régionaliste repose sur le personnage de l'autre, de celui qui vient d'ailleurs.

Un soir, à l'heure du souper, un inconnu arrive au chenal du Moine, dans la vieille maison des Beauchemin. Le passant demande l'hospitalité contre le travail de ses bras. Didace Beauchemin, veuf encore vert, vit avec son fils et sa bru, Amable et Phonsine. Ce couple malingre et stérile n'a pas la bénédiction du patriarche. Le nouveau venu, aussitôt accueilli dans la maison, prend beaucoup de place à la ferme, que néglige le fils légitime. Pour celui-ci, le sort d'un vagabond ne peut être que méprisable, mais la curiosité se cache sous la méfiance. Toute la personne du survenant trahit le secret qui trouble les lignages attachés au bien ancestral: lui seul a parcouru le vaste monde, qui s'étend au-delà des paysages familiers. L'homme de passage exerce sa fascination sur les femmes et les jeunes gens, mais les vieux le rejettent, à l'exception du père Didace. Arrivé au soir de sa vie, le vieux Beauchemin est tenté de désavouer la mollesse d'Amable, rêvant d'une postérité à sa mesure dans la carrure hautaine de l'étranger, qui attise la hargne et l'envie de toute la communauté.

D'où vient ce «survenant»? Il n'est pas difficile de reconnaître en lui l'héritage mythique du coureur de bois, à cette différence près que l'homme sans attaches, c'est-à-dire sans terre cultivée, n'est plus l'homme de la forêt mais le citoyen du monde. Germaine Guèvremont civilise et modernise la tradition des anciens voyageurs. Cette mise à jour apparaît nettement dans l'épisode où le survenant rouvre le coffre à outils d'un aïeul des Beauchemin: réveillant le savoir-faire de l'artisan défunt, le héros se révèle un peu magicien en fabriquant un canot, en réparant un fauteuil. On dirait qu'il ouvre un passage entre la rudesse terrienne et la finesse d'un nouvel art de vivre: manipulant les signes autant que les matériaux, il insuffle une vie inconnue aux objets usuels. Sous sa grande main «en étoile», amoureusement contemplée par Angélina Desmarais, l'inconnu change de place: il est dans le grenier de la vieille maison, il appartient au patrimoine oublié, il rentre littéralement dans la lignée du père Didace par le détour d'un «Beauchemin». Si l'on note qu'un autre surnom du héros le désigne souvent comme le «grand-dieu-des routes», on voit à quel point ce roman joue sur le sens du patronyme... Tout en restant celui qui vient du «vaste monde» et qui représente l'inconnu, le survenant est surtout celui par qui la transmission de l'héritage ancestral paraît encore possible.

L'étrangeté s'énonce sur le mode de l'ambiguïté: l'ailleurs et l'ici nouent en elle des liens nécessairement obscurs. Mais la source de l'énigme est souvent occultée dans la tradition littéraire québécoise. On peut s'étonner que l'Indien n'ait pas été le sujet d'un roman québécois avant *Le Rêve de Kamalmouk*, de l'ethnologue Marius Barbeau, publié en 1949. Le romancier Yves Thériault reste le maître incontesté du récit de la vie amérindienne, genre qu'il crée de toutes pièces une dizaine d'années plus tard. Auteur d'*Agaguk* (1958), d'*Ashini* (1960), du *Rû d'Ikoué* (1963), de *Tayaout, fils d'Agaguk* (1969), d'*Agoak* (1975), cet écrivain a produit une œuvre remarquable tant par ses qualités propres que par son caractère prolifique. Dès les années 50, il traitait des Juifs montréalais dans *Aaron* (1954). *Amour au goût de mer* (1961) se passe dans la communauté italienne de Montréal; *Les Commettants de Caridad* (1961) est un roman exotique dont l'action a pour décor un village espagnol isolé. La liberté d'inspiration de Thériault et l'intérêt qu'il porte à l'altérité sous toutes ses formes lui confèrent une avance de plusieurs années sur l'évolution du roman québécois, qui ne s'intéressera guère aux autres cultures avant 1980.

Agaguk (1958) est sans doute le plus connu des romans de Thériault. Le livre a été réédité plusieurs fois et traduit dans plusieurs langues; il raconte d'une manière sobre et directe les aventures d'un jeune Inuit, Agaguk, qui quitte son village pour adopter la vie nomade du Grand Nord. Après avoir exploré son territoire de chasse, il revient chercher la jeune fille qu'il convoite, Iriook, pour en faire sa femme. Attiré à nouveau vers le village pour y troquer des fourrures, Agaguk est escroqué par le marchand, Brown, qu'il assassine pour se venger. La suite du récit retrace la fuite du couple coincé entre la justice blanche et les lois non moins redoutables de la nature. L'intrigue policière aiguillonne l'action dramatique d'une histoire ponctuée d'épisodes de chasse et de combats épiques où le héros affronte les éléments et triomphe des animaux: «Condition de vie, condition de survie. À la ruse des bêtes dont on tire tout, opposer sa ruse à soi, humaine, mais délibérément ravalée au niveau animal. Pour Ramook, comme pour Agaguk à l'affût du loup blanc là-bas, aucune autre issue que la ruse.» L'enjeu du récit appelle la création d'un espace fictif entre l'ordre tribal, condamné par la société blanche, et le retour à la nature, lieu d'un idéal impossible.

Jean-Yves Soucy, dans *Un dieu chasseur* (1976), déplace curieusement la question en attribuant tous les traits positifs de l'héroïsme à l'homme blanc, Mathieu Bouchard, plutôt qu'au protagoniste cri, Saganash. Ce roman est la dernière incarnation du mythe du coureur de bois «classique» depuis *Les Engagés du Grand Portage* de Léo-Paul Desrosiers. Dans l'œuvre romanesque de Robert Lalonde (*Le Dernier Été des Indiens*, 1982; *Une belle journée d'avance*, 1986; *Le Fou du père*, 1988), les héros blancs idéalisent le Peau-Rouge, qu'ils tiennent pour un grand initié. L'homosexualité, l'harmonie avec la nature et la liberté spirituelle caractérisent les liens qu'ils entretiennent avec une indianité utopique: «Certains êtres vivent sans se creuser la cervelle et leurs accomplissements dépassent les dogmes de toutes les religions. L'Indien est ainsi fait. Il respire juste à la bonne hauteur.»

De *Doux-amer* à *La Vie en prose*

> Mais voici la jonction des routes. Laquelle prendrons-nous? (...) À chacune de ces routes correspond un espace inexploré de notre géographie intérieure. Laquelle suivrons-nous? Lequel de ces pays aborderons-nous pour nous y retrouver enfin dans la joie de nous connaître?
>
> Hélène Ouvrard, *Le Corps étranger*

La figure de l'étranger est sans doute un trait majeur de la littérature québécoise contemporaine (et probablement une des clés de sa lecture), car, si l'autre est le plus lointain, il est aussi le plus proche. L'altérité la plus méconnue se trouve précisément à la «jonction des routes». La différence féminine se déclare avec force dans la littérature québécoise récente.

Gabrielle Roy, Germaine Guèvremont, Anne Hébert, Andrée Maillet, Marie-Claire Blais ne sont certes pas indifférentes à la condition de la femme, mais leurs œuvres ne s'inscrivent pas dans une perspective nommément féministe. La romancière Claire Martin (*Doux-amer*, 1960; *Quand j'aurai payé ton visage*, 1962; *Les Morts*, 1970) marque sans doute un point tournant à cet égard; élaborée au cours des années 60, cette œuvre présente l'image d'une femme forte devant la démission de l'homme faible et écrasé: thème principal de ces romans, l'amour y est aussi l'arme d'un combat et le terrain d'un affrontement. Le ton et la technique de la romancière sont tout à fait classiques, mais ses thèmes se veulent progressistes.

La part du trivial et du quotidien dans la vie amoureuse est la principale leçon des romans de Claire Martin. L'amour est ainsi vu d'une façon moderne, mais le style de la romancière affectionne les clichés du beau langage. Dans *Doux-amer* (1960), Gabrielle, écrivaine en herbe, épouse son protecteur en la personne de son éditeur, puis le quitte sans cérémonie pour un jeune collègue une fois sa carrière assurée. La narration est assumée par le mari abandonné. Dans *Quand j'aurai payé ton visage* (1962), on lit le récit à plusieurs voix d'un éternel triangle où la femme, Catherine, est amoureuse de son beau-frère. Dans *Les Morts* (1970), le sommet de l'œuvre de Claire Martin, une femme d'un certain âge confesse la satisfaction d'avoir dominé tous les hommes, maintenant décédés, qu'elle a connus: la voix est neutre comme l'élégance figée de la prose qui l'exprime. L'œuvre de Claire Martin possède un arrière-goût de désillusion teinté de cynisme, comme l'exprime presque candidement l'héroïne de *Quand j'aurai payé ton visage*: «Je n'ai jamais compris que l'on pratiquât la respiration artificielle sur un amour mort. Je m'ennuyais.»

Les années 70 verront l'émergence d'un féminisme plus radical, qui attaque le fondement même de l'institution littéraire. Les écrivaines veulent subvertir le code et dénoncer jusqu'aux préjugés de la langue. Le militantisme féministe prend le relais d'une révolution tranquille qui commence à marquer le pas après octobre 1970.

Anticipant plusieurs traits caractéristiques de cette littérature de combat, l'œuvre d'Hélène Ouvrard tient un propos qui trouvera sa forme consacrée chez Madeleine Gagnon ou France Théoret, lesquelles adopteront, pourtant, un style à la fois plus dépouillé et plus polémique. Hélène Ouvrard, elle, exprime un univers sans issue, lancinant, lourd et obsédant: existence fermée par un mur infranchissable, hantée d'une plainte sourde, amère comme une protestation. La rancœur et la culpabilité ne sont pas sans rappeler — sur un mode nostalgique, fantasmatique et lyrique — la révolte du «mauvais pauvre» de Saint-Denys Garneau, l'attente de l'homme ayant remplacé l'absence de Dieu. L'inscription du corps dans l'écriture, la narration elliptique et fragmentée, la primauté de l'énonciation sur l'objet du récit ouvrent l'autre versant de la modernité. La phrase d'Hélène Ouvrard conserve toutefois une allure chatoyante et une complaisance littéraire que tout tendra à casser dans la prose féministe, qui rejettera les formes de la littérature comme autant d'embuscades dressées par la pensée phallocratique.

Chez Nicole Brossard, les notions d'écriture et de texte précèdent et excluent celles de genre. Peut-on encore parler de roman à propos d'*Un livre* (1970), de *French kiss* (1974) ou du *Désert mauve* (1987)? Il est indéniable que l'influence exercée par Nicole Brossard depuis une vingtaine d'années a marqué le roman.

Louky Bersianik s'en prend elle aussi au code romanesque dans *L'Euguélionne* (1976), long récit polémique qui entend remonter jusqu'aux mythes gréco-romains et judéo-chrétiens pour y débusquer le préjugé phallocratique qui avilit l'âme féminine à sa source. Madeleine Gagnon, qui a écrit surtout des poèmes et des essais, tente dans *Lueur* (1979) un «roman archéologique» qui se propose «d'émerger de la mort même, de raconter ce qui vient de l'absence, projet fomenté à même la démesure du rien, aux confins de l'histoire qu'ils ne nous ont jamais transmise». France Théoret poursuit un projet analogue sur le mode autobiographique dans *Nous parlerons comme on écrit* (1982) et *L'homme qui peignait Staline* (1988).

La Vie en prose (1980), de Yolande Villemaire, effectue une prodigieuse synthèse fictive de l'écriture des femmes. Ce roman met en scène sa propre élaboration, depuis le processus de fabrication de sa forme manuscrite jusqu'à sa lecture au sein d'une coopérative d'édition féminine. L'effet le plus remarquable de ce «récit tentaculaire et sibyllin[1]», de ce «livre-pieuvre[2]» est d'abolir la distinction entre le texte et le hors-texte, comme le suggère le programme inscrit dans son titre: prosaïque comme la vie, mais rose comme la romance, *La Vie en prose* commande une lecture déroutée, aussitôt relancée, aberrante et pourtant magique, multipliant les langues, les temps, les lieux, les personnages et les voix narratives. Les références à la littérature, mais aussi à la chanson, au cinéma, à la publicité et aux signes juxtaposés de la ville criblent le texte d'effets percutants.

Partout, dans le roman québécois des dernières années, la parole féminine parle haut et fort. Mentionnons encore Michèle Mailhot, Claire de Lamirande, Suzanne Paradis, Madeleine Ouellette-Michalska, Geneviève Amyot, Suzanne Jacob, Pauline Harvey, Carole Massé et beaucoup d'autres.

Adieu Babylone et *Toute la terre à dévorer*

La culture, c'est quand les autres nous envahissent, quand les autres nous prennent à nous-mêmes pour nous faire entrer dans ce qu'ils sont, quand ils nous donnent leurs mots pour voir et pour sentir et pour penser et pour parler, et peu importe que ces mots soient anglais, français ou chinois, féminins, masculins ou neutres, ils ne sont jamais neutres.

Louis Gauthier, *Voyage en Irlande avec un parapluie*

Dans *La Jument des Mongols* (1964), Jean Basile, romancier québécois d'origine russe, faisait dire à un de ses personnages: «Sans la Main, mes enfants, je crois bien que je détesterais Montréal.» Comme cette artère qui porte l'afflux cosmopolite au cœur de la métropole, le roman québécois compte maintenant plusieurs écrivains d'origine étrangère. Juif irakien, Naïm Kattan raconte son propre chemin d'exil dans *Adieu Babylone* (1975) et *La Fortune du passager* (1990). Dans *Les Hommes-taupes* (1978), le Yougoslave Négovan Rajic propose une fable politique. Le Catalan Jacques Folch-Ribas, auteur de six romans, traduit dans un style élégant les frasques de ses héros attachants et frondeurs (*Le Valet de plume*, 1983; *La Chair de Pierre*, 1989). Émile Ollivier, haïtien, se livre brillamment à l'imaginaire des mots et au baroque de la composition dans *Paysage de l'aveugle* (1977), *Mère-Solitude* (1983), *La Discorde aux cent voix* (1986) et *Passages* (1991). Dany Laferrière, également haïtien, obtient un succès immédiat avec *Comment faire l'amour avec un nègre sans se fatiguer* (1985). L'argument de son roman se résume ainsi: «Ça se passe au carré Saint-Louis. C'est, brièvement, l'histoire de deux jeunes Noirs qui passent un été à draguer les filles et à se plaindre. (...) L'un dort à longueur de journée ou écoute du jazz en récitant le Coran, l'autre écrit un roman sur ce qu'ils vivent ensemble.»

Qu'ils soient nés au Québec ou venus d'ailleurs, les romanciers québécois d'aujourd'hui font place au pluralisme. Plus qu'un élargissement thématique, cette ouverture est en outre un apport pour l'écriture, régénérée et enrichie au contact d'un nouveau répertoire de références littéraires, historiques et culturelles. *La Québécoite* (1983), de Régine Robin, fait surgir la différence dans la mouvance des langues, des patries, des couples. La parole immigrante s'en prend au stéréotype d'un Québec minoritaire replié sur ses signes d'appartenance:

> Quelle angoisse certains après-midi — Québécité — québécitude — je suis autre. Je n'appartiens pas à ce Nous si fréquemment utilisé ici — Nous-autres — Vous-autres. Faut se parler. (...) Mes aïeux ne sont pas venus du Poitou ou de la Saintonge ni même de Paris, il y a bien longtemps. Ils ne sont pas arrivés avec Louis Hébert... (...) Par-dessus tout, je n'aime pas Lionel Groulx, je n'aime pas Duplessis, je n'aime pas Henri Bourassa, je ne vibre pas devant la mise à mort du père Brébeuf, je n'ai jamais dit le chapelet en famille à 7 h du soir. Je n'ai jamais vu la famille Plouffe à la télévision.

Sous ce regard neutre, la distance de l'autre se précise. Voici quelqu'un qui voit et qui regarde la culture québécoise de l'extérieur, qui comprend sa langue et qui sait l'écouter, mais qui n'y reconnaît que les signes multipliés de l'altérité. Seule exception à son constat d'étrangeté («elle ne pourrait jamais tout à fait habiter ce pays»), *La Québécoite* admet son affinité avec le féminin: «Ce pays t'était apparu comme un pays de parole féminine, un lieu où les femmes s'exprimaient, peut-être même un lieu où elles seules avaient quelque chose à dire, à crier.»

Si la narratrice de *La Québécoite* est venue au Québec depuis l'étranger, André Vachon, auteur de *Toute la terre à dévorer* (1987), est né et a grandi ici. Pourtant, le même regard est à l'œuvre dans son récit.

Ce dernier ne raconte une histoire qu'à travers la reconnaissance d'un itinéraire suivi par le couple que forment la Québécoise Florence Larivée et l'Irlandais McCoy. Le roman semble obéir à l'ambitieux projet d'une enquête anthropologique qui se proposait de fouiller l'espace de l'Amérique. Tous les microcosmes s'y rencontrent, comme à loisir: «Un peu passé Duluth voici, étalage et enseigne début de siècle, une *European bakery.*»

Il y a de la saveur, du savoir et de la sagesse dans le roman de Vachon. Le roman québécois actuel est à son image: tout entier traversé par le regard de l'autre. La diversité des origines, des cultures et des langues a bien remplacé l'ethnocentrisme de jadis. On dirait tout à coup que Montréal est une sorte de chenal du Moine, où tous les survenants du monde se seraient donné rendez-vous.

NOTES

[1] Lise Potvin, «L'ourobouros est un serpent qui se mord la queue X 2», *Voix et Images,* n° 33, printemps 1986, p. 411.

[2] Diane Alméras, «La vie en prose et en couleurs», *Relations,* février 1981, p. 61.

CHAPITRE 6

Le roman québécois et les médias

> L'audiovisuel a comme premier support le haut-parleur, comme première matière le bruit. La littérature, elle, naît du silence. Elle sera bientôt condamnée, dans la civilisation électronique, à n'être plus que le sous-titre d'un spectacle continu, pas même interrompu par la publicité commerciale, qui peu à peu devient le seul véritable sujet de l'écran. Le murmure de notre conscience a cédé la place au murmure marchand.
>
> Jacques Godbout, *L'Écran du bonheur*

Dans ce chapitre, nous traiterons des rapports de la fiction avec les moyens de communication modernes. La question n'est pas neuve et elle date du rayonnement de la radio, vers 1935. L'arrivée de la télévision en 1952 a amplifié l'importance du phénomène. Depuis 1980, c'est toute la littérature québécoise que l'on conçoit comme une industrie culturelle. Élargir le succès d'un texte par son adaptation à l'écran est une chose, mais c'en est une autre de considérer le tirage d'un livre de la même manière que les producteurs d'émissions considèrent les cotes d'écoute. Les données quantitatives sont en train de devenir la sanction finale du produit littéraire, tout comme elles sont la mesure d'à peu près toute chose dans l'Occident du XXᵉ siècle finissant. En conséquence, le roman québécois appartient de plus en plus au monde du spectacle. Aux yeux de certains promoteurs de l'industrie du livre, il n'y a que deux sortes de romans: les romans à succès et les autres. Les premiers, qui atteignent des tirages importants, sont appuyés par une publicité criarde. Les seconds «se retrouvent dans le maquis de la littérature», selon l'expression de Jacques Godbout. Cette distinction est un effet de l'idéologie qui caractérise l'application des pratiques industrielles au monde de la culture. Dans ce chapitre, nous scruterons certains faits relatifs à la diffusion et à la consécration des œuvres au sein de ce qu'il est convenu d'appeler l'institution littéraire[1].

Les best-sellers québécois

On emploie généralement le mot «paralittérature» pour désigner les formes populaires du roman que sont les romans d'aventure sentimentale, les romans policiers, d'espionnage ou de science-fiction. Cette distinction a pour résultat d'exclure ces sous-genres de la littérature proprement dite, mais il faudra aussi noter que la démarcation est loin d'être absolue, que des exceptions de taille contribuent à la brouiller. Pour rester dans le domaine québécois, plusieurs romanciers «reconnus» ont utilisé le roman policier pour concevoir des œuvres qui appartiennent entièrement à la littérature: c'est le cas de *Prochain Épisode* (1965) d'Hubert Aquin, de certains romans de Pierre Turgeon et d'une bonne partie des *Histoires de déserteurs* (1974-1976) d'André Major. De même, dans la production récente de la science-fiction québécoise, il n'est pas exclu que certaines œuvres s'imposent par leurs qualités littéraires.

La notion de roman populaire ne date pas d'hier. Au XIXᵉ siècle déjà, une grande partie de la production romanesque, publiée en feuilleton dans les journaux, visait le plus vaste public possible. Plus près de nous, les romans en fascicules comme *IXE-13*, aventures d'espionnage publiées de 1947 à 1966 par Pierre Saurel (pseudonyme de Pierre Daignault), représentaient le début de la production culturelle québécoise de masse. Ce phénomène s'observe dès la fin de la Deuxième Guerre mondiale. Les années 50 et 60 voient aussi se répandre le roman policier avec des auteurs comme Maurice Gagnon, Bertrand Vac et Yves Thériault. Plus près de nous, Chrystine Brouillet pratique ce genre avec succès dans *Chère Voisine* (1982) et *Coups de foudre* (1983). Le roman sentimental se porte bien depuis toujours. Quant au roman d'anticipation ou de science-fiction, il a connu un développement remarquable depuis une quinzaine d'années. Entre temps, l'augmentation du niveau de scolarité, le développement des médias et l'extension du public lecteur ont créé les conditions de l'industrialisation de la culture, laquelle ne se limite plus aux sous-genres des romans populaires et tend à rejoindre l'ensemble de la littérature de fiction.

Claude-Henri Grignon est le premier romancier québécois à avoir compris et exploité l'influence des médias modernes sur l'écriture romanesque. *Un homme et son péché* (1933) a obtenu le prix David en 1935, mais si le nom de son héros, Séraphin Poudrier, est devenu synonyme d'avare dans son usage québécois, c'est bien à cause des feuilletons que l'auteur en a tirés pour la radio et la télévision. La série radiophonique a été diffusée quotidiennement de 1939 à 1965, alors que le téléroman, *Les Belles Histoires des Pays-d'en-Haut*, a tenu l'horaire de 1956 à 1970, avec des reprises en 1972, 1977-1978 et 1986. Plusieurs pièces de théâtre (1942-1953) et deux longs métrages (1949 et 1950) ont également contribué à la popularité du roman, dont le tirage total, dans toutes ses éditions, doit approcher les 150 000 exemplaires.

Grignon appartient à la première génération d'écrivains dont la maturité littéraire coïncide avec l'apparition des nouvelles techniques de communication. La même époque voit la grande popularité de *La Famille Plouffe* (1953-1959, adaptation pour la télévision du roman *Les Plouffe* de Roger Lemelin), qui atteint un auditoire record sur les deux réseaux, français et anglais, de la télévision d'État. Germaine Guèvremont tire un téléroman de son *Survenant* (1957). D'autres romanciers ont profité des mêmes possibilités, mais aucun n'a égalé la durée du succès de Grignon. Qui se souvient aujourd'hui des *Velder* (1941) de Robert Choquette, roman qui a fait l'objet d'une adaptation télévisée en 1954? Le petit écran ne garantit pas toujours la popularité d'une adaptation; la qualité de l'œuvre originale y est sûrement pour quelque chose, mais cette explication n'est pas suffisante. En subissant l'épreuve de la «traduction» médiatique, tout texte écrit change brusquement de langage, de dimension et de public. Cette triple conversion, trop heureuse lorsqu'elle parvient à conserver quelque trace de son point de départ littéraire, ne peut jamais écarter le risque de défigurer le roman qui lui sert de prétexte. Il vaudrait mieux considérer le nouveau produit d'une écriture d'adaptation comme une œuvre entièrement différente du roman qui l'a inspirée. Car même si le scénario est signé par le romancier, le film ou la télésérie qui en résulte ne relève plus de la littérature.

L'un des cas les plus spectaculaires de vente en librairie, ces dernières années, est le fameux *Matou* (1981) d'Yves Beauchemin. L'exploit met à contribution toute la gamme des médias. Frances J. Summers résume ainsi la carrière du livre:

> Le 26 mars 1981 paraissait à Montréal *Le Matou* d'Yves Beauchemin. Depuis cette date, le roman a connu un succès phénoménal: plus de 200 000 exemplaires vendus au Québec — où un livre qui atteint les 10 000 exemplaires est déjà considéré comme un best-seller — et 600 000 en France. Ce succès a été suivi de plusieurs traductions, d'un film et d'un disque. (...) *Le Matou* a de plus valu à son auteur le Prix du *Journal de Montréal* et de l'Union des écrivains, le Prix de la Communauté urbaine de Montréal et le Prix du livre de l'été (Cannes 1982).

(...) La réception critique du *Matou* par les lecteurs spécialisés, entre 1981 et 1982, est extrêmement positive: elle n'émet à l'égard du roman de Beauchemin que très peu de réserves[1].

Selon Summers, les raisons de ce «succès phénoménal» seraient le caractère positif du roman et son «américanité», la création de personnages fortement typés et la simplicité de son intrigue. Autre point souvent signalé par la critique, l'image que ce roman propose de Montréal comme cadre de l'action: «Pour la première fois dans le roman, Montréal est un corps qui se porte bien, qui mange avec plaisir une cuisine qui lui est propre. (...) Aujourd'hui Montréal est devenue un espace d'ouverture libérant l'écrivain de l'image première de *la ville aux deux solitude*[2].» La même observation vaudrait pour d'autres romans à succès des dernières années.

Vers la fin des années 70, le dramaturge Michel Tremblay a décidé de transposer dans un cycle romanesque l'univers qu'il avait illustré au théâtre. Ses *Chroniques du Plateau Mont-Royal* comprennent *La grosse femme d'à côté est enceinte* (1978), *Thérèse et Pierrette à l'école des Saints-Anges* (1980), *La Duchesse et le Roturier* (1982) et *Des nouvelles d'Édouard* (1984). Louis Caron suit la révolte atavique de plusieurs héros appartenant à la même famille nicolétaine, depuis l'époque des troubles de 1837 jusqu'aux événements d'octobre 1970. Ses *Fils de la liberté* forment une trilogie composée du *Canard de bois* (1981), de *La Corne de brume* (1982) et du *Coup de poing* (1990). Francine Noël séduit un grand nombre de lecteurs par sa chronique intimiste des années 60 (*Maryse*, 1983; *Myriam première*, 1987), qui présente une foule de personnages vivant au ras du quotidien la grande aventure de la Révolution tranquille. *Les Filles de Caleb* (1987-1988), d'Arlette Cousture, font revivre les épreuves ininterrompues d'une famille de la Mauricie au début du siècle.

Comme *Le Matou*, ces best-sellers proposent la réprésentation d'un espace social à travers une saga familiale ou régionale et le tableau des mœurs d'une époque. Dans tous les cas, la recette gagnante est un dosage correct de procédés éprouvés et d'ingrédients novateurs. Les premiers rassurent le lecteur en puisant dans le répertoire de ses références culturelles, les seconds s'adressent à sa situation réelle en faisant signe au présent, à l'actuel. Ainsi, *Le Matou* est l'aventure balzacienne d'un champion québécois de la PME, *Les Fils de la liberté* ressemblent aux Rougon-Macquart de la résistance nationale et *Les Filles de Caleb* ébauchent une révision de la famille rurale sous l'angle de la sexologie contemporaine.

L'Acadienne Antonine Maillet, romancière et dramaturge, met dans ses écrits toute la verve de son peuple malmené. Son roman *Pélagie-la-Charrette* mérite le prix Goncourt en 1979. Le conteur Bélonie y raconte l'odyssée rabelaisienne d'une héroïne messianique qui guide ses compatriotes exilés dans leur retour au pays après la déportation. Dans ce livre, comme dans tout ce qu'elle signe, Antonine Maillet s'inspire de la tradition orale et des grands récits littéraires. La liberté et la couleur de son imagination verbale sont savoureuses.

Plusieurs jeunes romanciers ont vu récemment leurs coups d'essai consacrés par une critique enthousiaste et quasi unanime. C'est le cas de François Gravel avec *La Note de passage* (1985), de Jacques Savoie avec *Les Portes tournantes* (1986), de Christian Mistral avec *Vamp* (1988) et *Vautour* (1990), de Louis Hamelin avec *La Rage* (1989) et *Ces spectres agités* (1991), d'Anne Dandurand avec *Un cœur qui craque* (1990). À côté de ces nouvelles vedettes, d'autres profitent d'une célébrité acquise par d'autres moyens pour se faire romanciers. Ainsi, on a vu une comédienne, une journaliste et des hommes politiques lancer avec fracas des romans de leur cru.

Depuis 1980, le cinéma québécois a beaucoup investi dans le roman: *Les Plouffe* (1981) et *Maria Chapdelaine* (1983) de Gilles Carle; *Bonheur d'occasion* (1983) de Claude Fournier; *Le Crime d'Ovide Plouffe* (1984) de Denys Arcand; *Mario* (1984; adaptation de *La Sablière* de Claude Jasmin, 1980) et *Le Matou* (1985) de Jean Beaudin; *Les Portes tournantes* (1988) et *Les Fous de Bassan* (1989) de Francis Mankiewicz en témoignent. Certaines de ces productions ont nécessité des budgets considérables et rapporté des profits. Claude Jasmin (*La Petite Patrie, Pointe Calumet boogie woogie*) et Victor Lévy-Beaulieu (*Race de monde*, 1978-1981; *L'Héritage*, 1987-1989) ont écrit des séries télévisées inspirées de leurs romans. *Les Fils de la liberté*, de Louis Caron, ou *Les Filles de Caleb*, d'Arlette Cousture, ont aussi donné naissance à des téléfilms, c'est-à-dire à des longs métrages conçus pour le petit écran et débités en tranches horaires.

La plupart de ces adaptations sont de bonne qualité et parviennent à soutenir l'argument des œuvres littéraires qu'elles transposent à l'intention d'un plus vaste public. C'est sans doute un objectif louable, mais cette manière d'agir sert-elle le roman? Que reste-t-il de l'art littéraire dans le récit traduit en images, lorsque les traits d'un(e) comédien(ne) remplacent l'existence imaginaire du personnage et que le temps du téléroman se substitue à la composition de l'œuvre originale[3]?

Le «maquis de la littérature»

Au fond, la vie ne m'intéressait pas, seule la littérature m'intéressait, et ce qui dans la vie ressemblait à la littérature. C'était à la fois ma perte et mon salut.

Louis Gauthier, *Le Pont de Londres*

Il est tentant de croire que la situation que nous venons de décrire marque un progrès: jamais, au Québec, autant d'ouvrages de fiction n'ont été imprimés. Du point de vue de la mise en marché, cela ressemble à une victoire, mais il est permis d'être plus nuancé quand on considère le problème d'un point de vue strictement littéraire. Le roman n'est pas seulement une forme d'écriture à vocation populaire, mais un puissant laboratoire de recherches textuelles, stylistiques, narratives. Or, les succès spectaculaires dont il a été question plus haut tendent à envahir tout le champ de la littérature et à créer une illusion pernicieuse, de plus en plus accréditée au sein de l'institution littéraire: il n'y a de bon texte que celui qui se vend bien.

Recherchons donc le contraire du concert médiatique et nous aurons la chance de trouver la discrétion qui signale souvent la qualité littéraire du roman québécois d'aujourd'hui. Le roman préféré de l'industrie culturelle est un livre de cinq cents pages ou plus, généralement une saga étalée sur plusieurs livres, sous forme de chronique familiale, sociale ou historique; langue et forme y sont simples et limpides; le récit est linéaire, la chronologie sans accroc. C'est de cette étoffe que sont faits les grands films et les téléséries.

Voici, à l'opposé, de petits récits connus de peu de lecteurs, attendus et goûtés par de rares critiques, imprimés avec soin par des éditeurs encore soucieux d'un grain de papier ou d'un choix de caractère. Peu de mots, peu d'action, pas de photo en couleurs sur une jaquette rutilante. Passerait-on de l'autre côté de l'écran? Ces romans remarquables, dont presque personne ne parle, méritent mieux qu'une note en bas de page d'un manuel. L'espace dont nous disposons ne nous permet pas, hélas, de faire beaucoup plus.

*L'Ampoule d'or (*1951), de Léo-Paul Desrosiers, est un roman à part dans l'œuvre de son auteur et dans tout le roman québécois. C'est l'histoire d'un drame amoureux, situé dans un décor austère, dénoué par une recherche spirituelle. L'écrivain va à contre-courant du siècle, mais il donne d'un même souffle sa meilleure performance d'écriture. Dans un tout autre registre, *Quelqu'un pour m'écouter* (1964), de Réal Benoit, est l'un des romans parmi les plus étranges qui ont été publiés au Québec. L'aventure participe du surréalisme et de la prose d'Henri

Michaux. L'anecdote y est pourtant mince à souhait: le héros change de domicile, en proie à une crise d'angoisse qui lui fournit l'occasion de dresser le bilan de sa vie. L'enchaînement des images mentales, la liberté des déformations que subissent les personnages sous l'éclairage d'une conscience survoltée font de ce récit (la musique y joue un rôle important) une prouesse d'imagination et un brillant morceau de style. *Le Sang du souvenir* (1976), de Jacques Brossard, est aussi un curieux roman qui mélange la nouvelle et le journal intime, la description hyperréaliste et la science-fiction, le délire et la lucidité. Pensons enfin aux romans de poètes comme Fernand Ouellette (*Tu regardais intensément Geneviève*, 1978), Jacques Brault (*Agonie*, 1984) ou Pierre Nepveu (*L'Hiver de Mira Christophe*, 1986).

Dans *Voyage en Irlande avec un parapluie* (1984) et *Le Pont de Londres* (1988), Louis Gauthier arrive à un dépouillement de l'écriture et à une absence d'artifice qui sont peut-être les signes d'une épuration du roman. D'autres exemples sont perceptibles, dont *Carnaval* (1989) d'Alain Poissant, *Agonie* de Jacques Brault ou *L'Hiver au cœur* (1987) d'André Major. Il est sans doute permis de considérer ces textes brefs comme un espoir pour l'avenir du roman québécois. La littérature industrielle ne saurait assurer la maturité de l'art romanesque.

NOTES

[1] La critique et la théorie littéraires se sont beaucoup intéressées récemment aux conditions matérielles de production et de consommation des œuvres littéraires. Voir Maurice Lemire (réd.), *L'Institution littéraire,* Québec, Institut québécois de recherche sur la culture, 1986; Lucie Robert, *L'Instauration littéraire au Québec,* Québec, Presses de l'Université Laval, 1989.

[2] Yannick Resch, «Montréal dans l'imaginaire des écrivains québécois», *Études canadiennes/Canadian Studies,* n° 19, décembre 1985, p. 146-147.

[3] À ce sujet, voir «Littérature québécoise et cinéma», *Revue d'histoire littéraire du Québec et du Canada français*, n° 11, hiver-printemps 1986.

CHAPITRE 7

Le roman québécois et la critique

> Au cours des vingt dernières années, la
> situation a complètement changé. L'en-
> seignement des lettres a été laïcisé, les
> départements d'études littéraires ont
> considérablement évolué et un phéno-
> mène majeur s'est produit: on a pris
> conscience de l'existence d'une littéra-
> ture québécoise en plein essor, distincte
> de la littérature française, nord-améri-
> caine par son inspiration et ses aspi-
> rations.
>
> André Brochu, *La Visée critique*

On a longtemps attribué le piétinement de la
littérature québécoise à l'absence d'une véritable
critique littéraire. C'est un autre sujet de doléance qui
n'a plus sa raison d'être, comme André Brochu le
constatait il y a déjà dix ans. Les études théoriques et
critiques se sont développées, l'enseignement et la
recherche ont joué leur rôle aux échelons universitaire et collégial et la littérature nationale est devenue
un objet de connaissance en même temps qu'une
source d'affirmation collective. Il s'agit là d'une
situation nouvelle puisque, avant 1960, la littérature
québécoise n'existait pour ainsi dire pas dans les pro-

grammes d'enseignement, qui n'admettaient que les littératures anciennes (grecque et latine) et la littérature française. Depuis lors, la presse a élargi l'espace réservé à l'information littéraire locale: on compte aujourd'hui par dizaine les périodiques qui couvrent régulièrement l'activité littéraire québécoise, et certaines revues s'y consacrent exclusivement. De plus, les rapports entre la création et la critique se sont resserrés dans la production littéraire actuelle; il suffit d'une visite en librairie pour s'apercevoir de la vitalité et de la diversité du discours critique.

Notre seul objectif, dans ce chapitre, est d'indiquer les principales approches méthodologiques qui se sont élaborées pour ordonner le corpus du roman québécois et pour analyser les œuvres qui le composent. Il convient de regrouper ces travaux en catégories puisqu'ils forment un ensemble considérable. Nous retiendrons trois sortes de textes: les études historiques, les études sociologiques et, finalement, les études herméneutiques.

Mais tout d'abord, commençons par préciser notre vocabulaire: critique, herméneutique, méthodologie: qu'est-ce que tout cela veut dire? Il n'est pas facile de distinguer ces termes dans la pratique, mais il existe d'excellents guides faits pour s'orienter efficacement et rapidement dans la forêt de la critique[1]. Dans l'acception courante, ce mot désigne tous les discours savants ou vulgarisés qui traitent des ouvrages littéraires pour les évaluer, les commenter, les décrire ou les présenter au lecteur. L'herméneutique est le but général de ces discours critiques, qui est de mieux comprendre la littérature et ses productions, et de contribuer à leur interprétation. La méthodologie propose les moyens d'y parvenir en définissant les règles et les principes de l'activité critique, qu'elle soit d'ordre spéculatif et vise la pure connaissance (la théorie), ou qu'elle se donne un objectif plus limité, comme la critique des œuvres singulières ou la pédagogie au sens large (la reproduction de la littérature en tant qu'institution préparant de nouveaux écrivains et de nouveaux lecteurs).

Nous n'avons pas inclus ici les ouvrages didactiques, pour deux raisons: d'abord, parce que beaucoup de travaux critiques le sont indirectement puisqu'ils viennent surtout des milieux de l'enseignement, qu'ils s'adressent aux étudiants, aux professeurs et aux chercheurs; ensuite, parce que les ouvrages à vocation plus spécifiquement pédagogique sont encore rares et souvent inadéquats en ce qui con-=cerne le roman québécois.

L'histoire du roman québécois

Aussi étonnant que cela puisse paraître, nous attendons toujours une histoire littéraire du roman québécois. En revanche, les travaux préliminaires et les synthèses ponctuelles ne manquent pas, mais ils se limitent généralement à de bons articles de fond ou à des hypothèses stimulantes d'essais consacrés à une période, un thème, un auteur ou un groupe d'auteurs. Les histoires générales de la littérature québécoise ne négligent pas le genre romanesque, mais leurs objectifs propres ne sauraient suppléer le défaut d'ouvrages particulièrement orientés vers l'histoire du roman. Il nous faut donc, sur un point aussi fondamental, nous contenter d'aperçus fragmentaires et à l'occasion divergents.

Gilles Marcotte ébauche en 1958 une «Brève histoire du roman canadien-français[2]». Tout en dégageant les lignes de force des œuvres marquantes, le critique s'efforce de mettre en lumière les jalons d'une évolution qui s'observe surtout chez les romanciers contemporains. Le texte s'achève sur une observation qui annonce l'imminence d'une étape cruciale:

> Le roman canadien-français a déjà conquis ses libertés essentielles. Il approche de sa maturité dans la mesure où la société canadienne-française se structure et se diversifie, et il n'est pas impossible qu'il prenne bientôt la relève de la poésie, comme le genre littéraire le plus apte à exprimer nos vérités.

Paul Wyczynski, en 1963, déroule un «Panorama du roman canadien-français[3]» qui répond fidèlement à l'intention d'un tel titre. Le tableau s'alourdit parfois d'une note moralisatrice et de jugements sommaires. On n'en retire pas moins une impression positive, bien qu'en termes fort modérés: «Ainsi est-il permis de conclure que le roman canadien-français existe, qu'il a son histoire, sobre et brève sans doute, mais réelle néanmoins et prometteuse. Aujourd'hui, il est à l'âge de l'adolescence, raidi contre le passé, fixant l'avenir.» En 1965, Jean-Louis Major situe quant à lui au niveau de la maturité technique le progrès accompli: «Que le roman ait finalement pris conscience d'être un art: voilà ce qui me semble le plus important dans le roman canadien depuis 1960[4].»

Faisant le point sur le «Le genre romanesque au Canada français[5]», Réjean Robidoux et André Renaud affichent, en 1966, un optimisme prudent: «Le roman canadien se trouve sans doute dans un moment de crise. Cela nous semble salutaire et devrait se résoudre pour le mieux puisque la nature de cette crise consiste dans l'approfondissement de l'art romanesque.» Les auteurs insistent sur la nouvelle audace formelle des romanciers: «Le trait commun aux écrivains qui constituent l'actualité du roman canadien, c'est l'écart décisif qu'ils prennent tous par rapport aux techniques et aux styles dits traditionnels.» Jacques Allard, en 1969, parle des années 1960 à 1968 comme de celles où le roman québécois manifeste une volonté de «s'accorder au monde le plus actuel dans une explosion thématique et technique sans pareille[6].» Quant à Jacques Cotnam, compilant en 1971 «Le roman québécois à l'heure de la Révolution tranquille[7]», il insiste plutôt sur le renouvellement des contenus: «Nos romanciers ne connaissent plus de sujets tabous. Depuis une dizaine d'années, (...) ils s'entendent pour systématiser l'hypocrisie de notre société, pour en dénoncer la fausse monnaie et remettre en question les valeurs traditionnelles.»

S'il n'y a pas d'histoire complète du roman québécois à proprement parler, les considérations historiques ne manquent pas dans le commentaire critique. En fait, l'absence d'une véritable histoire du roman québécois s'explique de plusieurs façons; d'abord par sa «jeunesse», son développement tardif et accéléré: comme on le sait, toute étude historique demande un certain recul. On peut ajouter une autre raison, qui tient à l'orientation des études littéraires: l'essor du roman québécois, vers le milieu des années 60, coïncide avec la remise en question des méthodes de l'histoire littéraire traditionnelle. Le structuralisme qui caractérise cette époque considère que les textes contiennent leur propre signification en eux-mêmes et il écarte toute explication par la biographie, le milieu ou l'histoire.

Mais nous sommes loin aujourd'hui de ce temps-là et il s'est produit récemment un retournement complet de ce courant de sorte que la tendance actuelle de la recherche favorise le renouvellement de l'histoire littéraire. Il est probable que le roman québécois profitera de ce regain de faveur; en attendant, l'histoire du roman reste une opération courante de la critique. Gilles Marcotte en a donné fréquemment des raccourcis saisissants, rapprochant tantôt deux scènes de naissance[8] (celle d'Oguinase dans *Trente Arpents* et celle d'Emmanuel dans *Une saison dans la vie d'Emmanuel*), tantôt scrutant la dialectique de l'ancien et du nouveau[9]». C'est dire à quel point l'histoire en question est affaire de lecture, de rapports à établir entre les textes, et pas seulement d'un quelconque ancrage de ceux-ci dans les événements de l'histoire sociale. Tel semble être aussi l'avis de Laurent Mailhot, qui situe les points tournants de la production romanesque québécoise dans les rapports entre parole et écriture, entre histoire et récit[10].

Le roman québécois, document social

Parallèlement au progrès spectaculaire du roman québécois des années 60, l'approche sociologique a d'abord été la méthode privilégiée de son étude. Il faut encore faire la part du contexte de cette époque afin de comprendre la portée de ces travaux, lesquels doivent autant à l'accès des intellectuels québécois au milieu universitaire qu'au développement contemporain des sciences humaines et à la nouvelle hégémonie de celles-ci sur la culture. La sociocritique est aux années 60 ce que la sémiologie sera aux années 70 et la déconstruction aux années 80. De Fernand Dumont à Marcel Fournier, plusieurs sociologues québécois s'intéressent à la littérature, particulièrement au roman. Leur réflexion a souvent pressenti, sinon orienté, la recherche; de nombreux critiques littéraires s'inspireront de leurs méthodes. Leur maître à tous est Jean-Charles Falardeau, dont les analyses sont bien informées et tiennent compte des théories européennes (Lukacs, Goldmann, Escarpit) et de la critique littéraire québécoise. Dans l'une des plus connues de ses enquêtes, publiée en 1968 («L'évolution du héros dans le roman québécois[11]»), Falardeau conclut:

> Notre roman traduit en premier lieu les drames d'un passage du sacré au profane, de l'intemporel au temporel. La «dépossession» ou l'«aliénation» que cherche à surmonter le héros romanesque canadien-français est sans doute économique et politique. Elle est, à mon avis, autant sinon plus une dépossession et une aliénation «religieuse» de l'univers terrestre physique et humain.

Les rapports du roman québécois avec les idéologies ont été bien étudiés par la sociocritique. D'innombrables essais, thèses et monographies, parus depuis vingt ans, seraient à mentionner ici si l'espace le permettait. Malheureusement, beaucoup de ces travaux n'échappent pas au danger d'exprimer les thèses de leurs auteurs au lieu d'éclairer les œuvres qu'ils analysent. L'idéologie du critique risque de se substituer simplement à celle du texte fictif qu'il étudie. Il faut enfin signaler que plusieurs synthèses critiques parmi les plus importantes doivent des éléments majeurs de leur élaboration à la méthode sociologique. C'est le cas, entre autres, des œuvres d'André Brochu et d'André Belleau, dont nous traiterons dans le troisième volet de notre revue de la critique parce que leur apport concerne beaucoup plus l'interprétation littéraire du roman que l'éclairage romanesque d'une réalité sociale.

Parmi les ouvrages dont l'objet embrasse tout un secteur de la production romanesque, il existe beaucoup d'études consacrées aux idéologies. C'est le cas des livres de Jacques Pelletier (*Lecture politique du roman québécois contemporain*, 1984), Maurice Arguin (*Le Roman québécois de 1944 à 1965; Symptômes du colonialisme et Signes de libération*, 1985), Bernard Proulx (*Le Roman du territoire*, 1987), Max Roy (*Parti pris et l'Enjeu du récit*, 1987) et Joseph Kwaterko (*Le Roman québécois de 1960 à 1975; Idéologie et Représentation littéraire*, 1989). La (re)lecture féministe de la tradition romanesque du Québec a inspiré plusieurs essais, dont ceux de Janine Boynard-Frot (*Un matriarcat en procès. Analyse systématique de romans canadiens-français, 1860-1960*, 1982) et de Patricia Smart (*Écrire dans la maison du père*, 1988).

Plus récemment, l'intérêt sociologique s'est tourné vers la description de l'institution littéraire. La plupart de ces recherches s'inspirent de celles menées en France et en Belgique par Pierre Bourdieu et Jacques Dubois. On étudie la paralittérature, les rapports de la littérature avec les médias, l'histoire de l'édition au Québec, les interactions complexes entre écriture et lecture. En même temps que ces nouveaux champs de recherches, des travaux d'érudition traditionnels, comme l'édition critique, se poursuivent. Les grands projets de recherche universitaire sont principalement compris dans ces vastes chantiers, qui s'étendent sur plusieurs années et occupent plusieurs équipes de chercheurs. En ce qui concerne le roman québécois, mentionnons, par exemple:

l'EDAQ, le projet d'édition critique de l'œuvre d'Hubert Aquin, sous la direction de Bernard Beugnot; la Bibliothèque du Nouveau Monde», éditions critiques de nos classiques (projet dirigé par Jean-Louis Major) publiées aux Presses de l'Université de Montréal: *Un homme et son péché*, *La Scouine*, *Les Demi-Civilisés* et *Jean Rivard* sont déjà parus; et le projet de publication des œuvres complètes de Gabrielle Roy, sous la direction de François Ricard. Enfin, le projet Montréal imaginaire, dirigé par Gilles Marcotte, s'intéresse aux «divers aspects de l'imaginaire montréalais dans la littérature et les arts»; le roman y trouve sa place entre la poésie, le cinéma, le théâtre et les arts visuels.

Lectures du roman québécois

Nous parvenons enfin à la partie la plus importante de la critique, celle qui n'a d'autre souci que d'interroger directement les romans pour en dégager le sens et en décrire les moyens d'expression utilisés. La plus importante parce que l'inscription du texte dans la durée historique et dans l'espace social ne concerne pas le roman en tant que forme particulière, mais s'adresse indifféremment à tout ce qui appartient à la culture. Dans l'ordre de la lecture, c'est-à-dire du contact singulier avec l'œuvre, la critique s'engage dans un échange intense avec les textes. Cela ne veut pas dire que cette critique néglige le savoir des historiens et des sociologues. Au contraire, les auteurs dont nous esquissons ici les travaux convoquent tous les acquis des sciences humaines à la rescousse de leurs analyses. Cependant, loin de travailler à résoudre l'œuvre dans un système, leur démarche vise à cerner la part d'inconnu que recèle toute entreprise créatrice. Voilà l'essentiel de l'exercice herméneutique dont nous voulons parler dans cette section. Cela ne veut pas dire non plus que la théorie en soit exclue. Il arrive même que la connaissance approfondie d'une œuvre débouche sur une piste de lecture valable pour un ensemble beaucoup plus large: le genre, l'époque ou même la littérature dans son ensemble.

Nous avons déjà eu l'occasion de citer l'œuvre de Gilles Marcotte, très certainement la première à s'imposer par la qualité et l'ampleur de ses interrogations. *Le Roman à l'imparfait* (1976) est une lecture inévitable pour quiconque veut comprendre le roman québécois contemporain. L'essai porte sur cinq romanciers majeurs (Gérard Bessette, Réjean Ducharme, Marie-Claire Blais, Jacques Godbout, Jacques Ferron) et étudie la mutation formelle du roman québécois sous leur plume. La question que Gilles Marcotte n'a cessé de creuser, avant comme après cet essai, est la suivante: pour quelle raison le roman québécois a-t-il, pour ainsi dire, esquivé l'étape du réalisme au cours de son évolution? La réponse, si tant est qu'il y en ait une, n'est pas simple. En fait, l'essai ne sort jamais de la question et ne tente pas vraiment d'en sortir puisqu'elle traverse les cinq univers romanesques que l'essayiste place au centre de son propos. Toute la pensée du critique est dans son titre: *Le Roman à l'imparfait*, c'est, «au sens grammatical, (...) le roman comme passé», mais surtout «le roman de l'imperfection, de l'inachèvement, de ce qui se donne, dans son projet même, comme expérience de langage jamais terminée, interminable».

André Brochu, l'un des critiques les plus attentifs au roman québécois depuis trente ans, représente exemplairement la critique thématique des années 60, mais constamment remise à jour par des appoints stylistiques, narratologiques et sémiologiques. De Jean-Pierre Richard à Léo Spitzer, en passant par Sartre, Adorno et Greimas, il n'y a pas de théorie littéraire dont André Brochu n'ait tiré quelque concept utile pour la lecture de nos romanciers. Son œuvre est remarquable tant par l'originalité de ses intuitions que par la rigueur de sa méthode, à quoi il faudrait ajouter le nombre et la diversité des œuvres dont il a éclairé la signification. Ses analyses de Laure Conan, Félix-Antoine Savard, Gabrielle Roy,

Yves Thériault, Hubert Aquin (dans *L'Instance critique*, 1974) et André Langevin, à qui il a consacré un essai (*L'Évasion tragique*, 1985), sont indispensables.

Gérard Bessette, en plus de son œuvre romanesque, a largement contribué à la critique. Il est le pionnier au Québec de l'étude psychanalytique des œuvres littéraires. Dans *Une littérature en ébullition* (1968), il a recueilli des articles, des comptes rendus de conférences et plusieurs études concernant le roman québécois (Claude-Henri Grignon, Yves Thériault, Gabrielle Roy). Ces dernières, écrites vers 1960 pour la plupart, ont assez mal vieilli et ne se laissent pas facilement relire aujourd'hui. Le principal mérite de Bessette comme critique — par exemple dans ses *Trois Romanciers québécois* (1973: Victor Lévy-Beaulieu, André Langevin et Gabrielle Roy) — est d'avoir introduit les ressources de la psychanalyse freudienne dans l'investigation critique, méthode aujourd'hui très répandue. À ce sujet, signalons aussi, entre autres, les articles d'André Vanasse sur Réjean Ducharme, Victor Lévy-Beaulieu et Gilbert La Rocque (*Le Père vaincu, La Méduse et les Fils castrés*, 1990); les travaux de Françoise Maccabée-Iqbal sur Hubert Aquin (*Hubert Aquin, romancier*, 1978; *Desafinado, otobiographie de Hubert Aquin*, 1987); et tout récemment l'essai de Robert Richard sur le même auteur (*Le Corps logique de la fiction*, 1990). Enfin, mentionnons l'essai audacieux de Simon Harel (*Le Voleur de parcours. Identité et Cosmopolitisme dans la littérature québécoise contemporaine*, 1989), qui tente d'analyser le refoulé de l'imaginaire social en interrogeant la figure de l'étranger dans le roman québécois récent.

On compte peu d'études consacrées au roman québécois dans son ensemble, à sa typologie, à ses personnages, à ses structures ou même à son évolution. L'apport le plus significatif à cet égard reste l'état fragmentaire des aperçus que reflètent les nombreux articles d'André Belleau. Partiellement réunis en recueil dans *Surprendre les voix* (1986), ces textes (et d'autres disséminés dans plusieurs revues) sont très certainement une contribution majeure à une éventuelle théorie du roman québécois.

La thèse d'André Belleau s'inspire de la lecture du critique russe Mikhaïl Bakhtine et des travaux de celui-ci sur l'œuvre de François Rabelais. Le roman québécois, selon Belleau, témoigne de la survivance de la culture populaire dans une société industrialisée, ce qui constitue un phénomène unique en Occident, dont l'Histoire a effacé à peu près toute trace de culture orale depuis le Moyen Âge. Pour des raisons qui tiennent à son histoire particulière, de par sa langue, de par ses habitudes socioculturelles et surtout de par son roman, le Québec actuel révèle les structures vivantes d'une société «carnavalisée». Ce mot, emprunté au vocabulaire de Bakhtine, désigne la libre circulation et le dialogue des discours dans la sphère sociale. Cela signifie, par exemple, que le Québec ignore le cloisonnement des langages spécialisés. La séparation hiérarchique de la culture populaire et de la culture savante n'y est pas reconnue, du moins pas au même degré que dans les autres sociétés modernes issues du modèle occidental. Des exemples: en 1991, la seule émission culturelle de la télévision d'État qui fasse une place à la littérature (*La Bande des six*) la traite au même titre et sur le même ton que les vidéoclips, le cinéma et les arts du spectacle. L'écrivain est un amuseur public, un artiste du divertissement. Il ne s'agit pas de jeter la pierre à Radio-Canada: c'est une caractéristique de l'anthropologie québécoise.

L'intérêt de cette particularité n'est pas négligeable quant à ses effets sur l'art du roman. L'essayiste propose de le définir comme le lieu de «conflit des codes[12]» entre l'espace littéraire français et le milieu culturel québécois. André Belleau est aussi l'auteur du *Romancier fictif* (1980), «essai sur la représentation de l'écrivain dans le roman québécois». Cette étude analyse une vingtaine de romans, de Jean-Charles Harvey à Victor Lévy-Beaulieu, pour y démontrer l'existence fictive d'une «société intra-textuelle».

Les analyses orientées vers les problèmes formels sont également bien représentées. On peut mentionner, dans cette catégorie, les ouvrages de Patrick Imbert (*Roman québécois contemporain et clichés*, 1983), Agnès Whitfield (*Le Je(u) illocutoire. Forme et contestation dans le nouveau roman québécois*, 1987), Janet M. Paterson (*Moments postmodernes dans le roman québécois*, 1990) ou le collectif *Modernité/Postmodernité du roman québécois contemporain* (1987) publié sous la direction de Madeleine Frédéric et Jacques Allard.

Il faut enfin noter l'existence d'un certain nombre de monographies sur des romanciers québécois dans des collections aujourd'hui disparues, comme Écrivains canadiens d'aujourd'hui chez Fides, ou Lignes québécoises aux Presses de l'Université de Montréal.

NOTES

[1] Voir Marc Angenot, *Glossaire pratique de la critique contemporaine*, Montréal, Éditions Hurtubise HMH, 1979. Pour d'utiles repères bibliographiques, voir Marcel Fortin, Yvan Lamonde et François Ricard, *Guide de la littérature québécoise*, Montréal, Éditions du Boréal, 1988 (sur le roman en particulier: p. 43-49).

[2] *Une littérature qui se fait*, Montréal, Éditions Hurtubise HMH, 1962, p. 11-50.

[3] *Archives des lettres canadiennes*, tome 3, *Le Roman canadien-français*, Montréal, Éditions Fides, 1971, p. 11-35.

[4] «Le roman depuis 1960», *Liberté*, novembre-décembre 1965, p. 461.

[5] *Le Roman canadien-français du vingtième siècle*, Ottawa, Éditions de l'Université d'Ottawa, 1966, p. 10-12.

[6] «Le roman québécois des années 1960 à 1968», *Europe*, février-mars 1969, p. 41.

[7] «Le roman québécois à l'heure de la Révolution tranquille», *Archives des lettres canadiennes,* tome 3, *Le Roman canadien-français,* Montréal, Éditions Fides, 1971, p. 265-297.

[8] *Le Roman à l'imparfait,* Montréal, Éditions La Presse, 1976, p. 110-113.

[9] *Littérature et Circonstances,* Montréal, Éditions de L'Hexagone, 1989, p. 165-177.

[10] «Littérature et histoire au Québec», *Interface,* novembre-décembre 1990; «Le roman québécois et ses langages», *Stanford French Review,* vol. 4, printemps-automne, 1980.

[11] Dans *Imaginaire social et Littérature,* Montréal, Éditions Hurtubise HMH, 1974, p. 29-60.

[12] Voir «Culture populaire et culture sérieuse dans le roman québécois» et «Code spécial et code littéraire dans le roman québécois», dans *Surprendre les voix,* Montréal, Éditions du Boréal, 1986, p. 159-165 et 175-192; «La dimension carnavalesque du roman québécois» dans *Notre Rabelais,* Montréal, Éditions du Boréal, 1990, p. 141-156.

Épilogue

Le roman québécois existe et se porte bien. L'affirmation n'est pas établie aux dépens des faits: on a beaucoup écrit sur la plupart des sujets qui forment la matière de ce livre, et nous ne prétendons pas pour autant nous reposer sur l'autorité de ceux dont les réflexions ont alimenté notre travail. Même en faisant abstraction de tous les bons ouvrages publiés sur le sujet, il n'en resterait pas moins que le roman québécois existe et que cette existence n'est ni plus ni moins précaire que celle de la société québécoise elle-même. On nous pardonnera un aussi maigre constat, mais ce n'est pas rien quand on sait qu'il y a vingt ans à peine il se trouvait encore d'excellents esprits pour douter sérieusement de l'existence d'une littérature québécoise.

Tout le monde admet aujourd'hui que la littérature québécoise existe. Quant au roman, nous en possédons plus d'un qui peut se comparer aux plus grands du dernier demi-siècle. Depuis la Deuxième Guerre mondiale, le roman québécois est passé de l'enfance à l'âge adulte.

Quel sort l'avenir réservera-t-il au roman québécois et quels seront les développements qu'il empruntera dans les années, voire les décennies, qui viendront? Nul n'est qualifié pour jouer au prophète, mais, s'il nous fallait absolument parier sur un scénario, nous le composerions à peu près ainsi: la diversification et l'éclatement des langages vont se poursuivre, la pression de l'appareil publicitaire sur l'écriture aussi, et ces deux facteurs combinés produiront encore plus de romans, donc de meilleures chances d'accoucher du chef-d'œuvre absolu, mais également plus de sous-produits. En somme, l'aventure du roman québécois ne fait que commencer. Et le mot de la fin n'appartient plus seulement aux romanciers, mais à une foule d'intervenants parmi lesquels les lecteurs joueront un rôle essentiel.

Cependant, malgré des raisons d'être optimistes, le roman québécois passe actuellement par une phase cruciale de son évolution: il doit faire face à une menace qui pèse sur la culture elle-même dans l'ensemble du monde occidental. L'imposition d'une seule culture de masse, à l'échelle de la planète, peut signifier la fin des grandes formes universelles de la pensée au profit d'une atomisation générale du savoir. Seuls les spécialistes, c'est-à-dire les détenteurs d'une portion étroitement délimitée de la connaissance, seront dotés d'un semblant de crédibilité. Leur pouvoir sera d'ailleurs subordonné à une fonction primordiale de divertissement assurée par les moyens de communication audiovisuels. Dans ce nouveau contexte s'inscrit la situation actuelle du roman québécois, comme on l'a montré au chapitre 6. Il n'est pas du tout certain que cette pression médiatique exercée sur l'écriture soit positive. On peut même souvent observer les signes du contraire, dont le plus inquiétant est la dépendance de la fiction romanesque par rapport à l'industrie du spectacle. La fragilité de l'institution littéraire québécoise ajoute quelque vraisemblance à ce danger. La faillite du système scolaire public à assurer les apprentissages de la lecture et de l'écriture favorise aussi l'hégémonie des médias. Tout donc joue contre la promotion du roman québécois, qui est une forme littéraire complexe. Mais ces différents facteurs de nivellement culturel nuisent peut-être davantage à la poésie et l'essai. Le problème est celui de la formation des lecteurs.

Lire un roman, ce n'est pas seulement lire le récit d'une histoire imaginée, se représenter les actions fictives des personnages dans un décor convenu, prêter vie intérieurement à des créatures de rêve. Si ce n'était que cela, il n'y aurait pas lieu de se préoccuper de la mort du roman puisque la télévision et le cinéma sont d'excellents pourvoyeurs de fantasmes. Mais le roman est plus: il est autre chose que l'organisation narrative d'un monde imaginaire; c'est une forme évoluée de la pensée qui a son propre code de fonctionnement. Le roman est aussi réductible au scénario filmique que la peinture l'est au cliché photographique. En somme, le roman n'est pas un art d'imitation de la réalité, même lorsqu'il se dit réaliste. Le roman ne présuppose pas la référence à un univers réel, il présuppose la référence à d'autres romans et surtout au roman en tant que langage artistique ayant sa propre grammaire. C'est là une condition essentielle de son existence.

Orientations bibliographiques

Ouvrages sur le roman québécois

ARGUIN, Maurice. *Le Roman québécois de 1944 à 1965*, Montréal, Éditions de L'Hexagone, 1989.

BELLEAU, André. *Le Romancier fictif*, Montréal, Presses de l'Université du Québec, 1980.

BELLEAU, André. *Surprendre les voix*, Montréal, Éditions du Boréal, 1986.

BESSETTE, Gérard. *Trois romanciers québécois*, Montréal, Éditions du Jour, 1973.

BROCHU, André. *L'Instance critique*, Montréal, Éditions Leméac, 1974.

FALARDEAU, Jean-Charles. *Notre société et son roman*, Montréal, Éditions Hurtubise HMH, 1967.

FALARDEAU, Jean-Charles. *Imaginaire social et Littérature*, Montréal, Éditions Hurtubise HMH, 1974.

HAREL, Simon. *Le Voleur de parcours*, Montréal, Éditions du Préambule, 1989.

IMBERT, Patrick. *Roman québécois contemporain et clichés*, Ottawa, Éditions de l'Université d'Ottawa, 1983.

KWATERKO, Jozef. *Le Roman québécois de 1960 à 1975. Idéologie et Représentation littéraire*, Éditions du Préambule, 1989.

LEMIRE, Maurice. *Les Grands Thèmes nationalistes du roman historique canadien-français*, Québec, Presses de l'Université Laval, 1970.

MARCOTTE, Gilles. *Le Roman à l'imparfait*, Montréal, Éditions La Presse, 1976.

PATERSON, Janet. *Moments postmodernes dans le roman québécois*, Ottawa, Presses de l'Université d'Ottawa, 1990.

ROBIDOUX, Réjean et RENAUD, André. *Le Roman canadien-français du vingtième siècle*, Ottawa, Éditions de l'Université d'Ottawa, 1966.

Chronologie comparée du roman québécois et du roman dans le monde

N.B. Pour les œuvres écrites dans une autre langue que le français, la date de publication est toujours celle du texte original, même si le titre de l'œuvre est donné en français.

1837 P. Aubert de Gaspé fils, *Le Chercheur de trésor*	1837 H. de Balzac, *César Birotteau*
1846 P. Lacombe, *La Terre paternelle*	1846 G. Sand, *La Mare au diable*
1853 P.-J.-O. Chauveau, *Charles Guérin*	1853 G. de Nerval, *Sylvie*
	1861 C. Dickens, *Les Grandes Espérances*
1862 A. Gérin-Lajoie, *Jean Rivard, le défricheur*	1862 V. Hugo, *Les Misérables*
1863 P. Aubert de Gaspé père, *Les Anciens Canadiens*	1865 L. Tolstoï, *Guerre et Paix*
1881 L. Conan, *Angéline de Montbrun*	1881 G. Flaubert, *Bouvard et Pécuchet*
1895 J.-P. Tardivel, *Pour la patrie*	1895 A. Gide, *Paludes*
	1903 H. James, *Les Ambassadeurs*
1904 R. Girard, *Marie Calumet*	1916 F. Kafka, *La Métamorphose*
1916 L. Hémon, *Maria Chapdelaine*	1919 M. Proust, *À l'ombre des jeunes filles en fleurs*
1918 A. Laberge, *La Scouine*	1922 J. Joyce, *Ulysse*
1922 L. Groulx, *L'Appel de la race*	1925 F. Kafka, *Le Procès*
1925 H. Bernard, *La Terre vivante*	

1932 R. Desmarchais, *L'Initiatrice*
1933 C.-H. Grignon, *Un Homme et son Péché*
1934 J.-C. Harvey, *Les Demi-Civilisés*
1937 F.-A. Savard, *Menaud, maître-draveur*
1938 Ringuet, *Trente Arpents*
L.-P. Desrosiers, *Les Engagés du grand portage*
1941 R. Charbonneau, *Ils posséderont la terre*
1942 R. Desmarchais, *La Chesnaie*
1944 R. Lemelin, *Au pied de la pente douce*
1945 G. Guèvremont, *Le Survenant*
G. Roy, *Bonheur d'occasion*
1948 R. Lemelin, *Les Plouffe*
A. Giroux, *Au-delà des visages*
1949 F. Loranger, *Mathieu*
1950 A. Hébert, *Le Torrent*
Y. Thériault, *La Fille laide*
G. Roy, *La Petite Poule d'eau*
1953 A. Langevin, *Poussière sur la ville*
1954 G. Roy, *Alexandre Chenevert*
Y. Thériault, *Aaron*
1956 A. Langevin, *Le Temps des hommes*

1927 A. Breton, *Nadja*
1932 L.F. Céline, *Voyage au bout de la nuit*
1933 A. Malraux, *L'Espoir*
1934 J. Giono, *Le Chant du monde*
1936 G. Bernanos, *Journal d'un curé de campagne*
1938 J.-P. Sartre, *La Nausée*
W. Gombrowicz, *Ferdydurke*
1942 A. Camus, *L'Étranger*
1944 J. Genet, *Pompes funèbres*
1945 H. Miller, *Sexus*
1947 M. Lowry, *Au-dessous du volcan*
1948 J.D. Salinger, *L'Attrape-cœur*
A. Moravia, *La Désobéissance*
1949 G. Orwell, *1984*
1951 S. Beckett, *Molloy*
J. Gracq, *Le Rivage des Syrtes*
1952 E. Hemingway, *Le Vieil Homme et la mer*
1953 A. Robbe-Grillet, *Les Gommes*
1954 F. Sagan, *Bonjour tristesse*
1956 M. Butor, *L'Emploi du temps*
N. Sarraute, *Portrait d'un inconnu*

1970 A. Hébert, *Kamouraska*
     J. Ferron, *L'Amélanchier*
1971 V.-L. Beaulieu, *Les Grands-Pères*
1973 R. Ducharme, *L'Hiver de force*
     M. Tremblay, *C't'à ton tour, Laura Cadieux*
1974 H. Aquin, *Neige noire*
     V.-L. Beaulieu, *Don Quichotte de la démanche*
     N. Brossard, *French Kiss*
1974-1976 A. Major, *Histoires de déserteurs*
1976 R. Ducharme, *Les Enfantômes*
     Y. Rivard, *Mort et naissance de Christophe Ulric*
1977 L. Caron, *L'Emmitouflé*
1978-1984 M. Tremblay, *Chroniques du Plateau Mont-Royal*
1979 M.-C. Blais, *Le Sourd dans la ville*
     A. Maillet, *Pélagie-la-Charrette*
1980 Y. Villemaire, *La Vie en prose*
1981 Y. Beauchemin, *Le Matou*
1981-1990 L. Caron, *Les Fils de la liberté*
1982 A. Hébert, *Les Fous de Bassan*
1983 F. Noël, *Maryse*
1984 J. Poulin, *Volkswagen Blues*

1974 P. Lainé, *La Dentellière*
1975 R. Gary, *La Vie devant soi*
1978 P. Modiano, *Rue des boutiques obscures*
1979 J. Bourin, *La Chambre des dames*
     I. Calvino, *Si par une nuit d'hiver un voyageur*
1980 J. Irving, *Le Monde selon Garp*
1981 C. Simon, *Les Géorgiques*
     M. del Castillo, *La Nuit du décret*
1982 U. Eco, *Le Nom de la rose*
1983 P. Sollers, *Femmes*
1984 M. Kundera, *L'Insoutenable légèreté de l'être*
1984 M. Duras, *L'Amant*

1984 P. Sollers, *Portrait du joueur*

1987 T. Ben Jelloun, *La Nuit sacrée*

1985 Y. Villemaire, *La Constellation du Cygne*
     J. Brault, *Agonie*
1986 J. Godbout, *Une Histoire américaine*
     P. Nepveu, *L'hiver de Mira Christophe*
1987 F. Noël, *Myriam première*
1987-1988A. Cousture, *Les Filles de Caleb*
1988 L. Gauthier, *Le Pont de Londres*
     C. Mistral, *Vamp*
1989 Y. Beauchemin, *Juliette Pomerleau*
     L. Hamelin, *La Rage*
     M. LaRue, *Copies conformes*
1990 R. Ducharme, *Dévadé*

Index des œuvres et des auteurs